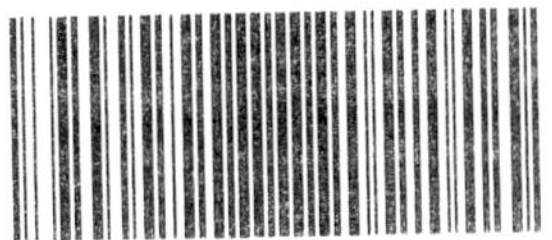

Vasili Tyorkin

Vasili Tyorkin

Alexander Tvardovsky

translated by James Womack

Smokestack Books
1 Lake Terrace, Grewelthorpe, Ripon HG4 3BU
e-mail: info@smokestack-books.co.uk
www.smokestack-books.co.uk

ISBN 9781916012103

Smokestack Books is represented
by Inpress Ltd

Published with the support of the
Institute for Literary Translation,
Russia

Содержимое

От автора	8
На привале	14
Перед боем	32
Переправа	50
О войне	68
Тёркин ранен	74
О награде	96
Гармонь	102
Два солдата	120
О потере	136
Поединок	148
От автора	164
«Кто стрелял?»	172
О герое	186
Генерал	192
О себе	212
Бой в болоте	222
О любви	244
Отдых Тёркина	256
В наступлении	272
Смерть и воин	286
Тёркин пишет	302
Тёркин-Тёркин	308
От автора	324
Дед и баба	334
На Днепре	352
Про солдата-сироту	368
По дороге на Берлин	384
В бане	398
От автора	416

Contents

Author's Note 9
In Camp 15
Before Battle 33
Crossing 51
About The War 69
Tyorkin Wounded 75
Gongs 97
The Accordion 103
Two Soldiers 121
Losing Things 137
The Duel 149
Author's Note 165
'Who Fired?' 173
Hero 187
The General 193
About Myself 213
The Fight in The Swamp 223
On Love 245
Tyorkin On Leave 257
Attacking 273
Death and the Soldier 287
Tyorkin Writes A Letter 303
Tyorkin and Tyorkin 309
Author's Note 325
Grandfather, Grandmother 335
On the Dnepr 353
For the Bereaved Soldier 369
On the Highway to Berlin 385
In the Bathhouse 399
Author's Note 417

От автора

На войне, в пыли походной,
В летний зной и в холода,
Лучше нет простой, природной –
Из колодца, из пруда,
Из трубы водопроводной,
Из копытного следа,
Из реки, какой угодно,
Из ручья, из-подо льда, –
Лучше нет воды холодной,
Лишь вода была б – вода.

На войне, в быту суровом,
В трудной жизни боевой,
На снегу, под хвойным кровом,
На стоянке полевой, –
Лучше нет простой, здоровой,
Доброй пищи фронтовой.

Важно только, чтобы повар
Был бы повар – парень свой;
Чтобы числился недаром,
Чтоб подчас не спал ночей, –
Лишь была б она с наваром
Да была бы с пылу, с жару –
Подобрей, погорячей;
Чтоб идти в любую драку,
Силу чувствуя в плечах,
Бодрость чувствуя.
Однако
Дело тут не только в щах.

Author's Note

In wartime, in the dust of battle,
in summer heat or winter frost,
there's nothing simpler, nothing better –
from a well or from a flask,
from a run-off, from a gutter,
from a hoofprint in the dust,
from a river (any river),
from streams under broken ice –
there's nothing quite like plain cold water:
water, never mind the source.

In wartime, when the fighting's dirty
and the soldier lives his grubby fate,
in the snow, beneath the pine trees –
a moment now to rest his feet –
there's nothing simpler, more noteworthy,
than a plate of frontline food.

The only thing that really matters
is that the cook's one of us too:
not there to make up the numbers;
he must sleep badly, like we do –
serving food that's got some flavour:
warm and spicy frontline stew

that gives us strength and fills our gut;
lets us get back to the action
strong and healthy, ready ...
But
man cannot live by stew alone.

Жить без пищи можно сутки,
Можно больше, но порой
На войне одной минутки
Не прожить без прибаутки,
Шутки самой немудрой.

Не прожить, как без махорки,
От бомбежки до другой
Без хорошей поговорки
Или присказки какой –

Без тебя, Василий Теркин,
Вася Теркин – мой герой,
А всего иного пуще
Не прожить наверняка –
Без чего? Без правды сущей,
Правды, прямо в душу бьющей,
Да была б она погуще,
Как бы ни была горька.

Что ж еще?.. И все, пожалуй.
Словом, книга про бойца
Без начала, без конца.

Почему так – без начала?
Потому, что сроку мало
Начинать ее сначала.

Почему же без конца?
Просто жалко молодца.

С первых дней годины горькой,
В тяжкий час земли родной
Не шутя, Василий Теркин,
Подружились мы с тобой,

You can starve for days non-stop,
a week if needed, but there's times
in heat of battle you can't cope
without some silly witticisms,
childish jokes and silly rhymes.

For moments when you're not attacking,
you need, just like your coffin nails,
good plain chat and tales and joking
that, like tobacco, never fails:
what you need is Vasya Tyorkin –
our hero Vasya Tyorkin's wiles.

And yet there's one thing more you need,
and that you cannot live without.
What's that? A truth that sets you free,
a truth you shelter in your heart,
a truth that lives within you, deep,
a bitter truth that plays its part.

And is that it? That's it, I'm done:
Now here's this soldier's tale in rhyme;
it won't end and it won't begin.

What do you mean, 'it won't begin'?
I mean, we've not got space or time
to tell it from its opening.

And what do you mean, that it won't end?
I don't want to make you cry, my friend.

And since these bitter years kicked off –
my nation's greatest test to date –
you're someone I have come to love:
Vasili Tyorkin, you're my mate.

Я забыть того не вправе,
Чем твоей обязан славе,
Чем и где помог ты мне.
Делу время, час забаве,
Дорог Теркин на войне.

Как же вдруг тебя покину?
Старой дружбы верен счет.

Словом, книгу с середины
И начнем. А там пойдет.

And I've no right to just forget
all the reasons now to praise you:
all the ways you helped me out,
the fun we had, the war we fought ...
Tyorkin's journey will amaze you.

How on earth could I ignore him?
A friendship always in my heart.

So, let's kick off now, in mid-story.
Tyorkin's story: time to start.

На привале

– Дельный, что и говорить,
Был старик тот самый,
Что придумал суп варить
На колесах прямо.
Суп – во-первых. Во-вторых,
Кашу в норме прочной.
Нет, старик он был старик
Чуткий – это точно.

Слышь, подкинь еще одну
Ложечку такую,
Я вторую, брат, войну
На веку воюю.
Оцени, добавь чуток.

Покосился повар:
«Ничего себе едок –
Парень этот новый».
Ложку лишнюю кладет,
Молвит несердито:
– Вам бы, знаете, во флот
С вашим аппетитом.

Тот: – Спасибо. Я как раз
Не бывал во флоте.
Мне бы лучше, вроде вас,
Поваром в пехоте. –
И, усевшись под сосной,
Кашу ест, сутулясь.
«Свой?» – бойцы между собой, –
«Свой!» – переглянулись.

In Camp

I think the word is 'practical',
the best way to describe him:
he makes the soup, fills all our bowls
even while the convoy's driving.
Soup's the first thing, then come groats,
according to the ration.
All the way – from soup to nuts –
this cook's good in his fashion.

'Hey, can you give me some more,
just another spoonful?
This is now the second war
I've fought in – I've been dutiful.
A little extra for my bowl?'

The cook gives him the hairy side-eye.
Thinks: this bloke could eat for Russia.
But he serves out more to the new guy
then tries a bit of joshing:
'With the amount you put away,
maybe you ought to have gone to sea.'

And he replies: 'Cheers for the fodder,
but you'd not catch me in the navy.
I'm better off here, on terra firma,
where the cooking's much more savoury.'
And off he goes, sits by a tree,
chows down without a murmur.
'So, what's he like?' the soldiers mutter.
'Oh, he's alright,' they tell each other.

И уже, пригревшись, спал
Крепко полк усталый.
В первом взводе сон пропал,
Вопреки уставу.
Привалясь к стволу сосны,
Не щадя махорки,
На войне насчет войны
Вел беседу Теркин.

– Вам, ребята, с серединки
Начинать. А я скажу:
Я не первые ботинки
Без починки здесь ношу.
Вот вы прибыли на место,
Ружья в руки – и вою́й.

А кому из вас известно,
Что такое сабантуй?

– Сабантуй – какой-то праздник?
Или что там – сабантуй?

– Сабантуй бывает разный,
А не знаешь – не толкуй,
Бот под первою бомбежкой
Полежишь с охоты в лежку,
Жив остался – не горюй:
– Это малый сабантуй.

Now all the troops have had enough,
have eaten up their rations,
and half of them are dozing off
against all regulations.
Propped against a lonesome tree,
smoking like a soul in torment,
and telling tales of the military,
it's Vasili Tyorkin.

'You kids have got here halfway through,
but let me tell you something:
this isn't the first pair of boots
I've worn down to the dubbin.
So you've come out here to fight,
clutching your brand new guns ...

'But which of you can tell me what
I mean by "a bit of fun"?'

'"A bit of fun"? Isn't it just that?
Like a party, or something like one?'

'No, "a bit of fun" comes in all sorts:
if you don't know there's no point guessing.
But say you hear the bombs come flying
and head for cover at a run
and make it through without quite dying,
well, that's a little bit of fun.

Отдышись, покушай плотно,
Закури и в ус не дуй.
Хуже, брат, как минометный
Вдруг начнется сабантуй.
Тот проймет тебя поглубже, –
Землю-матушку целуй.
Но имей в виду, голубчик,
Это – средний сабантуй.

Сабантуй – тебе наука,
Браг лютует – сам лютуй.
Но совсем иная штука
Это – главный сабантуй.

Парень смолкнул на минуту,
Чтоб прочистить мундштучок,
Словно исподволь кому-то
Подмигнул: держись, дружок...

– Вот ты вышел спозаранку,
Глянул – в пот тебя и в дрожь;
Прут немецких тыща танков...
– Тыща танков? Ну, брат, врешь..

– А с чего мне врать, дружище?
Рассуди – какой расчет?
– Но зачем же сразу – тыща?
– Хорошо. Пускай пятьсот,

– Ну, пятьсот. Скажи по чести,
Не пугай, как старых баб.
– Ладно. Что там триста, двести –
Повстречай один хотя б...

You have a break and eat some food
and smoke and sigh and feel the sun,
until the mortars spoil the mood
and bring their little bit of fun.
You make it through them, then you may
fall to your knees and kiss the dust
but you'll have to bear in mind that they
are only middling fun, at best.

You're here to bring a bit of fun:
you fight your way, the enemy his.
But it will get worse when it can:
the biggest bit of fun there is ...'

And Vasya Tyorkin pauses here
to clean his pipe and think a bit
and mutter 'Come on, hold it together'
and carry on, when his pipe is lit:

'So, say you get up bright and early,
then look around and ... Jesus Christ!
A thousand German tanks are nearly
right on top ...'
'A thousand? Right.'

'On my mother's life ... Why should I lie?
And why do you butt in again?'
'But really? A thousand? A thousand? Why?'
'OK, how about five hundred, then?'

'Five hundred's still a crazy number:
I'm no peasant to fall for such guff ...'
'But even if it was just two hundred,
a tank's no fun to deal with.'

– Что ж, в газетке лозунг точен;
Не беги в кусты да в хлеб.
Танк – он с виду грозен очень,
А на деле глух и слеп.

– То-то слеп. Лежишь в канаве,
А на сердце маята:
Вдруг как сослепу задавит, –
Ведь не видит ни черта.

Повторить согласен снова:
Что не знаешь – не толкуй.
Сабантуй – одно лишь слово –
Сабантуй!.. Но сабантуй

Может в голову ударить,
Или попросту, в башку.
Вот у нас один был парень...
Дайте, что ли, табачку.

Балагуру смотрят в рот,
Слово ловят жадно.
Хорошо, когда кто врет
Весело и складно.

В стороне лесной, глухой,
При лихой погоде,
Хорошо, как есть такой
Парень на походе.

И несмело у него
Просят: – Ну-ка, на ночь
Расскажи еще чего,
Василий Иваныч...

Dispatches get the story right:
when tanks come in you can't just hide.
A tank's a threat however you see it,
monstrous, threatening, deaf and blind ...

Blind and cruel. And there you're lying,
with your heart going pitter-pat,
and the tank beats round like a blind man trying
to know the world ... blind as a bat ...

No, "a bit of fun" comes in all sorts:
if you don't know there's no point guessing.
"A bit of fun"'s just a phrase we thought up ...

But "A bit of fun" can bash your head in,
"A bit of fun" can screw you up.
There was one guy that I remember ...
Just let me get my pipe in order ...'

They hear him spin these tales ad lib,
and lap them up quite keenly.
It's good when a man knows how to fib
openly and freely.

The rain is cold; the nights grow dark;
it's freezing among the trees:
but it's good if there's at least one bloke
like Tyorkin with the company.

And they'll come asking, kind of shy:
'We were thinking, me and the fellas,
that you could tell us a story tonight;
come on, Vasya, tell us!'

Ночь глуха, земля сыра.
Чуть костер дымится.

– Нет, ребята, спать пора,
Начинай стелиться.

К рукаву припав лицом,
На пригретом взгорке
Меж товарищей бойцов
Лег Василий Теркин.

Тяжела, мокра шинель,
Дождь работал добрый.
Крыша – небо, хата – ель,
Корни жмут под ребра.

Но не видно, чтобы он
Удручен был этим,
Чтобы сон ему не в сон
Где-нибудь на свете.

Вот он полы подтянул,
Укрывая спину,
Чью-то тещу помянул,
Печку и перину.

И приник к земле сырой,
Одолен истомой,
И лежит он, мой герой,
Спит себе, как дома.

Спит – хоть голоден, хоть сыт,
Хоть один, хоть в куче.
Спать за прежний недосып,
Спать в запас научен.

The night is still; the ground is wet;
the fire is barely warm ...

'No, lads, that's all I've got for tonight;
hurry up please, it's time.'

He found a patch of warmish ground;
pressed his face into his sleeve,
and with his comrades lying round
our Tyorkin fell asleep.

His greatcoat presses close and wet;
rain falls in drabs and dribs.
The sky's his roof, the trees his hut:
roots stick him in the ribs.

But you couldn't ever tell
that this had got him down,
that he didn't sleep here just as well,
in this bed on the ground.

He jerks his coat-tails into place,
to cover up his head,
and thinks of home and all things nice:
a stove, a girl, a bed.

The ground is sodden, dark and cold,
and, beaten by exhaustion,
there he sleeps, the hero bold,
as if in some grand mansion.

When hungry, he'll sleep; when full, he'll doze;
he'll sleep alone or in a group.
He sleeps the sleep he's going to lose;
he sleeps the sleep he needs to recoup.

И едва ль герою снится
Всякой ночью тяжкий сон:
Как от западной границы
Отступал к востоку он;

Как прошел он, Вася Теркин,
Из запаса рядовой,
В просоленной гимнастерке
Сотни верст земли родной.

До чего земля большая,
Величайшая земля.
И была б она чужая,
Чья-нибудь, а то – своя.

Спит герой, храпит – и точка.
Принимает все, как есть.
Ну, своя – так это ж точно.
Ну, война – так я же здесь.

Спит, забыв о трудном лете.
Сон, забота, не бунтуй.
Может, завтра на рассвете
Будет новый сабантуй.

Спят бойцы, как сон застал,
Под сосною впóкат,
Часовые на постах
Мокнут одиноко.

Зги не видно. Ночь вокруг.
И бойцу взгрустнется.
Только что-то вспомнит вдруг,
Вспомнит, усмехнется.

No sooner is he out for the count,
by the same harsh dream he's oppressed:
of how he left the Western Front,
and walked off, heading east;

of how this man, this Vasya Tyorkin,
with the rank and file bound,
crossed, in his sodden army jerkin,
miles and miles of his native ground.

This land's immense, this land is mighty,
this land is wide and hard to cross.
And although others may lay claim to
it – this land is yours.

Our hero sleeps, our hero snores.
He takes things on as they appear.
This land is his, this land is yours –
the war is why he's here.

He sleeps, forgets his cares and aches.
Just let him sleep, the day is done.
And maybe, when tomorrow breaks,
there'll be another 'bit of fun'.

Bushwhackers bushed, the soldiers lie,
asleep under the showers;
the guards on duty standing by:
they count the lonely hours.

The night lies dark and heavy round.
The sentry's mood is vile.
But then there's something comes to mind;
he breaks into a smile.

И как будто сон пропал,
Смех дрогнал зевоту.

– Хорошо, что он попал,
Теркин, в нашу роту.

***

Теркин – кто же он такой?
Скажем откровенно:

Просто парень сам собой
Он обыкновенный.

Впрочем, парень хоть куда.
Парень в этом роде
В каждой роте есть всегда,
Да и в каждом взводе.

И чтоб знали, чем силен,
Скажем откровенно:

Красотою наделен
Не был он отменной,

Не высок, не то чтоб мал,
Но герой – героем.
На Карельском воевал –
За рекой Сестрою.

И не знаем почему, –
Спрашивать не стали, –
Почему тогда ему
Не дали медали.

All his weariness flies away,
and laughter ousts his yawning.

'It's good that Tyorkin came today,
that he joined us this morning!'

***

So, Vasya Tyorkin, who is he?
I'll tell you right away:

He's just a man, like you and me,
a straight up, normal guy.

But as guys go, he's a paragon.
There's one like him in every group,
in every division, in every platoon,
a Vasya in every troop.

You want to know what his strong points are?
I'll tell you right away:

he's not the handsomest man in the war,
he's just a normal guy,

he's not that tall, he's not that short,
but he's a hero, and lucky.
Karelia's where he first fought:
the battle of Siestarjoki.

And we can't – not for our life – tell why
(we're not going to check with Command)
the way he fought at the riverside
didn't win him a reward.

С этой темы повернем,
Скажем для порядка:
Может, в списке наградном
Вышла опечатка.

Не гляди, что на груди,
А гляди, что впереди!

В строй с июня, в бой с июля,
Снова Теркин на войне.

– Видно, бомба или пуля
Не нашлась еще по мне.

Был в бою задет осколком,
Зажило – и столько толку.

Трижды был я окружен,
Трижды – вот он! – вышел вон.

И хоть было беспокойно –
Оставался невредим
Под огнем косым, трехслойным,
Под навесным и прямым.

И не раз в пути привычном,
У дорог, в пыли колонн,
Был рассеян я частично,
А частично истреблен...

Но, однако,
Жив вояка,
К кухне – с места, с места – в бой.
Курит, ест и пьет со смаком
На позиции любой.

We'll come back to this again,
but let us just say this:
that a misprint must have found its way
onto the Honours List.

Don't look at where the medals are hung,
Look at all the fighting yet to come!

Called up in June, in June seen action,
to war once more our Tyorkin's gone.

'Clear there's yet no bomb nor bullet
with my name engraved upon it.

I was hit by shrapnel, just a bit,
but nothing to write home about.

And three times I was nearly caught,
and three times I found my own way out.

And, yeah, it was a little hairy –
I made it out alive and well
from crossfire, overhead and three-way,
from indirect and direct shells.

I've marched and stumbled more than once,
along the uneven road,
when bombs came down on the dusty columns –
I've been dispersed, I've been destroyed ...'

But this soldier
still grows older,
goes from mess to tent, from tent to front.
He drinks and eats and smokes his gaspers,
no matter where he's at.

Как ни трудно, как ни худо –
Не сдавай, вперед гляди,

Это присказка покуда,
Сказка будет впереди.

Don't give in; look at what's to come,
no matter how hard, no matter how bad.

This is the prolegomenon;
now the real story starts instead.

Перед боем

– Доложу хотя бы вкратце,
Как пришлось нам в счет войны
С тыла к фронту пробираться
С той, с немецкой стороны.

Как с немецкой, с той зарецкой
Стороны, как говорят,
Вслед за властью за советской,
Вслед за фронтом шел наш брат.

Шел наш брат, худой, голодный,
Потерявший связь и часть,
Шел поротно и повзводно,
И компанией свободной,
И один, как перст, подчас.

Полем шел, лесною кромкой,
Избегая лишних глаз,
Подходил к селу в потемках,
И служил ему котомкой
Боевой противогаз.

Шел он, серый, бородатый,
И, цепляясь за порог,
Заходил в любую хату,
Словно чем-то виноватый
Перед ней. А что он мог!

И по горькой той привычке,
Как в пути велела честь,
Он просил сперва водички,
А потом просил поесть.

Before Battle

'I'll set it out here, nice and blunt,
how the war made someone stride
from round the back towards the front,
from over there, the German side.

Over the river, away from the Germans,
following the Soviet force,
along the front, past the enemy,
a soldier came marching, one of ours.

One of ours, skinny and hungry,
out of contact with his men,
sometimes with another convoy,
sometimes with another company,
sometimes like a sore thumb, alone.

Across a field, around a lake,
avoiding eyes that ask
too many questions; in the dark
using for his backpack
a standard-issue gasmask.

On he'd walk, unshaven, dirty:
he'd stumble through a cabin door,
and feel somehow strangely guilty
and turn his eyes down to the floor.

And he'd follow the bitter habits
instilled in him as on he marched:
he'd ask the owner for some water,
and then some food is what he'd ask.

Тетка – где ж она откажет?
Хоть какой, а все ж ты свой,
Ничего тебе не скажет,
Только всхлипнет над тобой,
Только молвит, провожая:
– Воротиться дай вам бог...

То была печаль большая,
Как брели мы на восток.

Шли худые, шли босые
В неизвестные края.
Что там, где она, Россия,
По какой рубеж своя!

Шли, однако. Шел и я...

Я дорогою постылой
Пробирался не один.
Человек нас десять было,
Был у нас и командир.

Из бойцов. Мужчина дельный,
Местность эту знал вокруг.
Я ж, как более идейный,
Был там как бы политрук.

Шли бойцы за нами следом,
Покидая пленный край.
Я одну политбеседу
Повторял:
– Не унывай.

And how can the old maid refuse him?
No one she knows, but he's one of ours,
and so she never will abuse him,
but gives vent to some stifled tears,
and prays, as though she fears to lose him,
"The Lord protect and keep you, dear ..."

Thus was our sad and scanty feast
as we retreated to the east.

We marched on, barefoot; marched on, grudging,
into lands we did not know.
What can we find here, where is Russia,
what does Russia have to show?

They just marched on. And I marched too.

I was not the only one
to march along that loathsome road.
Our group numbered only ten,
ten plus an officer in command.

He well knew the terrain we walked,
that NCO. A clever bloke.
I was a little more academic,
and served as the *politruk*.

The soldiers followed on behind us
as we left the conquered terrain.
My only advice on political matters
was to say,
"Don't let it get you down.

Не зарвемся, так прорвемся,
Будем живы – не помрем.
Срок придет, назад вернемся,
Что отдали – все вернем.

Самого б меня спросили,
Ровно столько знал и я,
Что там, где она, Россия,
По какой рубеж своя?

Командир шагал угрюмо,
Тоже, исподволь смотрю,
Что-то он все думал, думал ...
– Брось ты думать, – говорю.

Говорю ему душевно.
Он в ответ и молвит вдруг:
– По пути моя деревня.
Как ты мыслишь, политрук?

Что ответить? Как я мыслю?
Вижу, парень прячет взгляд,
Сам поник, усы обвисли.
Ну, а чем он виноват,
Что деревня по дороге,
Что душа заныла в нем?
Тут какой бы ни был строгий,
А сказал бы ты: "Зайдем..."

Встрепенулся ясный сокол,
Бросил думать, начал петь.
Впереди идет далеко,
Оторвался – не поспеть.

If we're careful, then we'll flourish.
We will live and not be killed.
The time will come, we'll come back bullish,
to take the land back, make them yield."

They might have insisted, put on pressure,
but I told them all I know:
what can we find here, where is Russia,
what does Russia have to show?

The officer marched, and I, unblinking,
watched him slyly as on we trod.
He was always thinking, thinking ...
"Stop your thinking," is what I said.

I spoke bluntly, with an open visage,
and he stopped dead, his features shook:
"Now we're nearly at my village.
What about that, *politruk*?"

What about that? How to answer?
I see he turns his eyes away,
and looks depressed. His moustache falters.
But what on earth is there to blame,
if his village is on our journey,
if his soul is yearning so?
In such a case you'd not be surly;
you'd do what I did; say, "Let's go!"

The mighty falcon fluffed his feathers,
stopped his thinking, began to chirp.
Marched ahead of all the others,
so fast we couldn't all keep up.

А пришли туда мы поздно,
И задами, коноплей,
Осторожный и серьезный,
Вел он всех к себе домой.

Вот как было с нашим братом,
Что попал домой с войны:
Заходи в родную хату,
Пробираясь вдоль стены.

Знай вперед, что толку мало
От родимого угла,
Что война и тут ступала,
Впереди тебя прошла,
Что тебе своей побывкой
Не порадовать жену:
Забежал, поспал урывком,
Догоняй опять войну...

Вот хозяин сел, разулся,
Руку правую – на стол,
Будто с мельницы вернулся,
С поля к ужину пришел.
Будто так, а все иначе...

– Ну, жена, топи-ка печь,
Всем довольствием горячим
Мне команду обеспечь.

Дети спят, Жена хлопочет,
В горький, грустный праздник свой,
Как ни мало этой ночи,
А и та – не ей одной.

It was late when we arrived there,
through the yards and through the hemp;
carefully, and stern of feature,
he led us all back to his home.

This is how we all in war-time
had to go and make these calls:
sneaking back into our homes;
creeping home against the walls.

Know this well, that there's much missing
from the place that you call home;
that the war has stuck its fists in,
crushed the place before you came;
that your visit's not a cure
will fix the world that's been broken:
a moment here, a moment there,
then back off to the war again ...

The husband sits, undoes his jerkin,
puts his arm up on the table,
as though he's just come back from working,
from a day out in the stables.
That's how it looks; the truth is different ...

"Come on, wife, stoke up the fire!
All of us are from the front,
hot food is what we all require!"

The children sleep; the wife is busy
throughout this bitter, happy night:
the time is short, but whatever she
has she shares it, the gift outright.

Расторопными руками
Жарит, варит поскорей,
Полотенца с петухами
Достает, как для гостей;

Напоила, накормила,
Уложила на покой,
Да с такой заботой милой,
С доброй ласкою такой,
Словно мы иной порою
Завернули в этот дом,
Словно были мы герои,
И не малые притом.

Сам хозяин, старший воин,
Что сидел среди гостей,
Вряд ли был когда доволен
Так хозяйкою своей.

Вряд ли всей она ухваткой
Хоть когда-нибудь была,
Как при этой встрече краткой,
Так родна и так мила.

И болел он, парень честный,
Понимал, отец семьи,
На кого в плену безвестном
Покидал жену с детьми...

Кончив сборы, разговоры,
Улеглись бойцы в дому.
Лег хозяин. Но не скоро
Подошла она к нему.

Without cease, she bakes and boils,
flashing round with nimble hands;
brings her guests the patterned towels,
inviting visitors as friends.

She fed us all, she brought us drink,
she found us space to rest our heads,
and with such kindness, one might think
that we were not these ragged threads,
who'd struggled back home from afar:
no sad, exhausted soldiery,
but rather heroes back from war,
who lived to fight another day.

And our host, the grey-haired soldier,
sitting there among his guests,
so proud: there'll never be another
woman like his wife; the best!

Surely she has never been
as kind and gentle as this night,
here, during their too-brief meeting,
a moment of profound respite.

And he suffered, poor old bloke –
this husband and father understood,
how they faced the fascist yoke,
his wife and all his darling kids ...

We'd argued, chatted, chewed and quaffed,
and now we all lay down.
Our host lay down. But not his wife,
who sat by the fire alone.

Тихо звякала посудой,
Что-то шила при огне.
А хозяин ждет оттуда,
Из угла.
Неловко мне.

Все товарищи уснули,
А меня не гнет ко сну.
Дай-ка лучше в карауле
На крылечке прикорну.

Взял шинель да, по присловью,
Смастерил себе постель,
Что под низ, и в изголовье,
И наверх, – и все – шинель.

Эх, суконная, казенная,
Военная шинель, –
У костра в лесу прожженная,
Отменная шинель.

Знаменитая, пробитая
В бою огнем врага
Да своей рукой зашитая, –
Кому не дорога!

Упадешь ли, как подкошенный,
Пораненный наш брат,
На шинели той поношенной
Снесут тебя в санбат.

А убьют – так тело мертвое
Твое с другими в ряд
Той шинелкою потертою
Укроют – спи, солдат!

Then she washed the dishes quietly,
and sat back down to sew.
And her husband waited politely
in the corner.
                    Time to go.

All my comrades huff and snore,
but I can't sleep a wink.
Time to sit out on the porch
where I can doze and think.

I took my greatcoat and I made it
into the only bed I needed.
Headboard, mattress, pillow, sheets:
all of these the coat supplied.

Woollen, state-made, military:
          a perfect soldier's coat.
Burnt a little at the camp-fire,
          this perfect soldier's coat.

Famous, slightly bullet-torn
          by hard unfriendly fire;
sewn up by my own rough hand,
          and yet to me most dear.

If you're hit and sorely wounded,
          shot down to the ground:
in your coat you can be carried
          if no stretcher can be found.

And if you die, then your cold body
          is laid out in a row
with all the others underneath
          their greatcoats. Sleep well, now.

Спи, солдат, при жизни краткой
Ни в дороге, ни в дому
Не пришлось поспать порядком
Ни с женой, ни одному...

На крыльцо хозяин вышел.
Той мне ночи не забыть.

– Ты чего?
– А я дровишек
Для хозяйки нарубить.

Вот не спится человеку,
Словно дома – на войне.
Зашагал на дровосеку,
Рубит хворост при луне.

Тюк да тюк. До света рубит.
Коротка солдату ночь.
Знать, жену жалеет, любит,
Да не знает, чем помочь.

Рубит, рубит. На рассвете
Покидает дом боец.

А под свет проснулись дети,
Поглядят – пришел отец.
Поглядят – бойцы чужие,
Ружья разные, ремни.
И ребята, как большие,
Словно поняли они.

Sleep, you soldiers, for all your life,
            out on the road or safe at home,
you have never slept enough:
            not with your wife, not all alone ...

Our host comes out to where I'm sitting.
I know I won't forget this night.

"What's up?"
                        "There's some wood needs cutting,
just needs doing for the wife."

He's like me: there's no use sleeping;
he's at war, though he's at home.
He walked around the forest clearing;
Cut wood by the light of the moon.

Thunk thunk thunk. He cuts till morning.
A soldier's night is never long.
He knows his wife is loving, mourning,
but doesn't know what can be done.

He cuts and cuts. When morning dawns,
this man will leave his family.

Before the rising of the sun,
his children wake to see
their father home, but also others,
lots of packs and lots of guns.
And the children, like their elders,
know what's going on.

И заплакали ребята.
И подумать было тут:
Может, нынче в эту хату
Немцы с ружьями войдут...

И доныне плач тот детский
В ранний час лихого дня
С той немецкой, с той зарецкой
Стороны зовет меня.

Я б мечтал не ради славы
Перед утром боевым,
Я б желал на берег правый,
Бой пройдя, вступить живым.

И скажу я без утайки,
Приведись мне там идти,
Я хотел бы к той хозяйке
Постучаться по пути.

Попросить воды напиться –
Не затем, чтоб сесть за стол,
А затем, чтоб поклониться
Доброй женщине простой.

Про хозяина ли спросит,
“Полагаю – жив, здоров”.
Взять топор, шинелку сбросить,
Нарубить хозяйке дров.

Потому – хозяин-барин
Ничего нам не сказал.
Может, нынче землю парит,
За которую стоял...

And the children burst out weeping.
You could imagine why:
maybe they imagined their cabin
with the Germans standing by ...

And that distant childish crying
in the early hours of that sad day
from the zone held by the Germans
haunts me to this day.

I have never dreamt of glory
in the hours before a fight;
I've just thought of getting through the
bullets, getting out alive.

And I tell you, without kidding,
if I ever go back there,
I'll go back to that small cabin
and knock at that brave woman's door.

I won't go there to ask for water;
I won't go there to beg for food:
I'll go back there just to thank her,
to try to show my gratitude.

If she asks about her husband:
"Alive, I think, all well and good."
I'll take the axe, remove my jerkin,
Spend the evening chopping wood.

They never told us what had happened
to her husband in the war.
He may be lying underground,
beneath the soil he fought for.

Впрочем, что там думать, братцы,
Надо немца бить спешить.
Вот и все, что Теркин вкратце
Вам имеет доложить.

Therefore, mates, no vacillating:
we have to smash the Nazi scum.
That's all now, that's Vasya Tyorkin's
latest war report. I'm done.'

Переправа

Переправа, переправа!
Берег левый, берег правый,
Снег шершавый, кромка льда.

Кому память, кому слава,
Кому темная вода, –
Ни приметы, ни следа.

Ночью, первым из колонны,
Обломав у края лед,
Погрузился на понтоны.
Первый взвод.
Погрузился, оттолкнулся
И пошел. Второй за ним.
Приготовился, пригнулся
Третий следом за вторым.

Как плоты, пошли понтоны,
Громыхнул один, другой
Басовым, железным тоном,
Точно крыша под ногой.

И плывут бойцы куда-то,
Притаив штыки в тени.
И совсем свои ребята
Сразу – будто не они,
Сразу будто не похожи
На своих, на тех ребят:
Как-то все дружней и строже,
Как-то все тебе дороже
И родней, чем час назад.

Crossing

Cross the river! Cross the river!
Right side, left side, cross the river!
The ice is sharp, the snow is grainy.

Some were lost beneath the water;
some were lost to human memory;
some will always live in glory.

Breaking the ice, the first platoon,
down by the river's edge,
boarded the floating pontoon
and drove ahead.
They loaded up and then pushed off
and floated away. The second followed.
The third platoon with all their stuff
were next in line. Passed through.

They floated off in ones and twos,
downstream, like little rafts;
from time to time, a metallic boom,
like feet on a tin roof.

And the soldiers float off together,
their bayonets dark in the shadows.
And now the soldiers seem quite other,
like people no one knows,
like people one has never met,
not like your friends, not like them at all:
somehow sterner, different,
somehow closer, dearer yet
than the men you knew before.

Поглядеть – и впрямь – ребята!
Как, по правде, желторот,
Холостой ли он, женатый,
Этот стриженый народ.

Но уже идут ребята,
На войне живут бойцы,
Как когда-нибудь в двадцатом
Их товарищи – отцы.

Тем путем идут суровым,
Что и двести лет назад
Проходил с ружьем кремневым
Русский труженик-солдат.

Мимо их висков вихрастых,
Возле их мальчишьих глаз
Смерть в бою свистела часто
И минет ли в этот раз?

Налегли, гребут, потея,
Управляются с шестом.
А вода ревет правее –
Под подорванным мостом.

Вот уже на середине
Их относит и кружит...

А вода ревет в теснине,
Жухлый лед в куски крошит,
Меж погнутых балок фермы
Бьется в пене и в пыли...

А уж первый взвод, наверно,
Достает шестом земли.

You look at them and – yes! – they're children.
Yes, they still have not been blooded,
none of these shaven headed men,
married or unmarried.

Yes, they may be only youngsters,
but they fight on as before,
just as years ago their fathers
did in the Civil War.

They trudge on in the same direction
that, two hundred years back,
every toiling, fighting Russian
trudged with his flintlock.

Death has often whistled in battle
as she passes these young men –
past their eyes and past their tousled
heads – will Death now walk past again?

Now they row and, sweating, steer
the boats with a long stick.
And the water coughs and jeers
under a blown-up bridge.

Now the current in midstream
picks them up and spins them round ...

And the water growls and steams;
the ice now into chunks is ground,
and through the twisted gantry-beams
both dust and foam are pounded ...

and the first platoon, it seems,
are nearly home and grounded.

Позади шумит протока,
И кругом – чужая ночь.
И уже он так далеко,
Что ни крикнуть, ни помочь.

И чернеет там зубчатый,
За холодною чертой,
Неподступный, непочатый
Лес над черною водой.

Переправа, переправа!
Берег правый, как стена...

Этой ночи след кровавый
В море вынесла волна.

Было так: из тьмы глубокой,
Огненный взметнув клинок,
Луч прожектора протоку
Пересек наискосок.

И столбом поставил воду
Вдруг снаряд. Понтоны – в ряд.
Густо было там народу –
Наших стриженых ребят...

И увиделось впервые,
Не забудется оно:
Люди теплые, живые
Шли на дно, на дно, на дно..

Под огнем неразбериха –
Где свои, где кто, где связь?

The river turns and sounds behind them,
and all around – a foreign night.
Nothing but darkness far around them,
no help in earshot, none in sight.

And there, just like a row of teeth,
beyond this vast and frozen quarter:
inaccessible, the trees –
virgin woods above the water.

Cross the river, cross the river!
Right bank rises like a barrier.

Skeins of blood will flow all the way
down the river and out to sea.

This is how it all went down:
a fiery spark of light –
the beam of a searchlight swinging round
and cutting through the night.

And then a splash, a boom: the water
spumed up by a shell.
They stood thickly packed, the soldiers;
the pontoons jam-packed as well.

And anyone who's ever seen it
will not let the memory drown:
living bodies, young and perfect,
sinking down and down and down ...

And people panic under shellfire –
where's the captain, where's the team?

Только вскоре стало тихо, –
Переправа сорвалась.

И покамест неизвестно,
Кто там робкий, кто герой,
Кто там парень расчудесный,
А наверно, был такой.

Переправа, переправа...
Темень, холод. Ночь как год.

Но вцепился в берег правый,
Там остался первый взвод.

И о нем молчат ребята
В боевом родном кругу,
Словно чем-то виноваты,
Кто на левом берегу.

Не видать конца ночлегу.
За ночь грудою взялась
Пополам со льдом и снегом
Перемешанная грязь.

И усталая с похода,
Что б там ни было, – жива,
Дремлет, скорчившись, пехота,
Сунув руки в рукава.

Дремлет, скорчившись, пехота,
И в лесу, в ночи глухой
Сапогами пахнет, потом,
Мерзлой хвоей и махрой.

But soon a silence on the water –
the silence of the tomb.

We still cannot assess the hurt:
who was the hero of the hour;
who was brave and who was not,
when the cannon opened fire.

Cross the river, cross the river ...
Dark and cold. Night lasts a year.

At the right bank, clinging on,
the bloody-minded first platoon.

The soldiers do not mention it,
now that they've pulled back –
it's like they feel a kind of guilt
to be safe-ish back in camp.

The mud and snow, as time goes by,
freezes into clots and ballast.
Hard and clumsy, in the way.
Who knows how long the night will last?

Worn out by the failed crossing,
but, at least, alive,
the soldiers shiver, murmur, doze,
their hands muffed in their sleeves.

The soldiers shiver, murmur, doze,
and in the forest dark
the smells of campfires, sweat and shoes
and coarse tobacco spread and part.

Чутко дышит берег этот
Вместе с теми, что на том
Под обрывом ждут рассвета,
Греют землю животом, –
Ждут рассвета, ждут подмоги,
Духом падать не хотят.

Ночь проходит, нет дороги
Ни вперед и ни назад...

А быть может, там с полночи
Порошит снежок им в очи,
И уже давно
Он не тает в их глазницах
И пыльцой лежит на лицах –
Мертвым все равно.

Стужи, холода не слышат,
Смерть за смертью не страшна,
Хоть еще паек им пишет
Первой роты старшина,

Старшина паек им пишет,
А по почте полевой
Не быстрей идут, не тише
Письма старые домой,
Что еще ребята сами
На привале при огне
Где-нибудь в лесу писали
Друг у друга на спине...

The safe side of the river's waiting
and so are those on the other side,
huddled under an overhang,
pressed to the ground as they try to hide –
they want the dawn, they want support,
they will not let their spirits slacken.

The night goes on, there's no way out.
No way forward, no way back ...

Maybe now, at nearly midnight,
a snowflake will alight
in an open eye, lie steady there
without melting on an eyebrow –
faces covered up with snow –
dead men do not care.

They don't care about the frost;
they're dead, they're not afraid of it,
and their names will still be listed
in the sergeant-major's ration chit.

They stay on the books of the quartermaster,
and the postal service hums,
carrying – so fast, no faster –
all the letters to their homes:
the letters that the soldiers wrote
sitting round the fire in camp
somewhere deep within the wood,
leaning on one another's backs.

Из Рязани, из Казани,
Из Сибири, из Москвы –
Спят бойцы.
Свое сказали
И уже навек правы.

И тверда, как камень, груда,
Где застыли их следы...

Может – так, а может – чудо?
Хоть бы знак какой оттуда,
И беда б за полбеды.

Долги ночи, жестки зори
В ноябре – к зиме седой.

Два бойца сидят в дозоре
Над холодною водой.

То ли снится, то ли мнится,
Показалось что невесть,
То ли иней на ресницах,
То ли вправду что-то есть?

Видят – маленькая точка
Показалась вдалеке:
То ли чурка, то ли бочка
Проплывает по реке?

Men from Ryazan, men from Kazan,
men from Moscow, from Siberia –
the soldiers sleep,
these glorious men,
these soldiers sleep forever.

And the ground is hard as rock
where their footsteps trod ...

Maybe, maybe, they've been lucky?
A sign, a wink, a nod ...
and then all would be good.

The nights are long, and dawn is bitter:
winter's coming – it's November.

On guard: two soldiers
by the cold water.

Is it a dream, hallucination,
a wish, an answered prayer?
Are their eyes a little frozen:
is there really something there?

They look: there's something little
appearing far away:
is it a log? Is it a barrel
floating in the stream?

– Нет, не чурка и не бочка –
Просто глазу маята.
– Не пловец ли одиночка?
– Шутишь, брат. Вода не та!
– Да, вода... Помыслить страшно.
Даже рыбам холодна.
– Не из наших ли вчерашних
Поднялся какой со дна?..

Оба разом присмирели.
И сказал один боец:
– Нет, он выплыл бы в шинели,
С полной выкладкой, мертвец.

Оба здорово продрогли,
Как бы ни было, – впервой.

Подошел сержант с биноклем.
Присмотрелся: нет, живой.

– Нет, живой. Без гимнастерки.
– А не фриц? Не к нам ли в тыл?
– Нет. А может, это Теркин? –
Кто-то робко пошутил.

– Стой, ребята, не соваться,
Толку нет спускать понтон.
– Разрешите попытаться?
– Что пытаться!
– Братцы, – он!

И, у заберегов корку
Ледяную обломав,
Он как он, Василий Теркин,
Встал живой, – добрался вплавь.

Not a log and not an oil drum.'
Their eyes are straining hard.
'Do you think ...? One of our men?'
'What? You're having a laugh!'
'Yeah, the water's cold as hell,
even the fish look nervous ...'
'Could it be one of the men,
floating up to the surface?'

Both of them for a while fell silent,
and then one soldier said:
'No, he'd float up in his greatcoat,
with his kit, if he were dead.'

Then the two men stand and shudder,
in fear of what would arrive.

A sergeant came with his binoculars:
'No, that man's alive.

He's alive. Just lost his jerkin.'
'Is it a Nazi, back behind our lines?'
'No. Hey, do you think it's Tyorkin?'
someone ironized.

'Hey lads, don't try anything cute;
just keep the pontoon trim.'
'Shall we jump in and try to rescue ...'
'Try? There is no try ...'
'It's him!'

And, on the ice at the frozen shore,
breaking through the frozen plates,
there he was, Vasily Tyorkin,
swum back to join his mates.

Гладкий, голый, как из бани,
Встал, шатаясь тяжело.
Ни зубами, ни губами
Не работает – свело.

Подхватили, обвязали,
Дали валенки с ноги.
Пригрозили, приказали –
Можешь, нет ли, а беги.

Под горой, в штабной избушке,
Парня тотчас на кровать
Положили для просушки,
Стали спиртом растирать.

Растирали, растирали...
Вдруг он молвит, как во сне:
– Доктор, доктор, а нельзя ли
Изнутри погреться мне,
Чтоб не все на кожу тратить?

Дали стопку – начал жить,
Приподнялся на кровати:

– Разрешите доложить...
Взвод на правом берегу
Жив-здоров назло врагу!
Лейтенант всего лишь просит
Огоньку туда подбросить.

А уж следом за огнем
Встанем, ноги разомнем.
Что там есть, перекалечим,
Переправу обеспечим...

Like from a sauna, smooth and naked,
he teeters, shivers, stumbles, trips.
His mouth won't work, it's frozen solid:
his mouth, his tongue, his lips.

They bound him tight and wound him round
with cloths from head to toe.
They set him upright on the ground
and ordered him to go.

They got to HQ; they let him fall,
and laid him on a bed,
and rubbed him down with alcohol
to bring him back from the dead.

They rubbed him up, they rubbed him down,
and then, like one asleep:
'Hey doctor, doctor, how about
a little dram for me,
so's you don't waste it on my skin?'

He livened up when they poured a shot,
and pushed himself till he was sitting:

'Sir, permission to report ...
The grouping stuck out over there
are live and kicking, 'spite of Jerry!
The lieutenant asks if you could spare
a little covering shelling,

and then, when you've laid down the fire,
we'll get up and leave our cover.
And we'll take down whoever's there,
and then we all can cross the river ...'

Доложил по форме, словно
Тотчас плыть ему назад.

– Молодец! – сказал полковник.
Молодец! Спасибо, брат.

И с улыбкою неробкой
Говорит тогда боец:

– А еще нельзя ли стопку,
Потому как молодец?

Посмотрел полковник строго,
Покосился на бойца.
– Молодец, а будет много –
Сразу две.
– Так два ж конца...

Переправа, переправа!
Пушки бьют в кромешной мгле.

Бой идет святой и правый.
Смертный бой не ради славы,
Ради жизни на земле.

His report was by the book,
and he looked ready to swim back over.

'Excellent!' The colonel spoke.
'Excellent! That's well done, soldier.'

And then the soldier, smiling boldly,
looked at the colonel and spoke out:

'Well, if my work has gone so smoothly,
might I have another shot?'

Slightly stunned, slightly affronted,
the colonel bent his head and spoke:
'It was good work, but don't you push it –
two shots ...' 'You know? One there, one back?'

Cross the river, cross the river!
The guns sound out in darkest night.

We fight this war, we will deliver,
we fight for all this earth can offer,
we fight this war, for we are right.

О войне

– Разрешите доложить
Коротко и просто:
Я большой охотник жить
Лет до девяноста.

А война – про все забудь
И пенять не вправе.
Собирался в дальний путь,
Дан приказ: “Отставить!”

Грянул год, пришел черед,
Нынче мы в ответе
За Россию, за народ
И за все на свете.

От Ивана до Фомы,
Мертвые ль, живые,
Все мы вместе – это мы,
Тот народ, Россия.

И поскольку это мы,
То скажу вам, братцы,
Нам из этой кутерьмы
Некуда податься.

Тут не скажешь: я – не я,
Ничего не знаю,
Не докажешь, что твоя
Нынче хата с краю.

About The War

‘Let me tell you something now,
and put it simply, straightly:
I’d like to live my time right out –
not die until I’m eighty.

The war makes you forget all that;
there’s no need to complain.
Get ready to march, get ready to fight:
your dreams are all in vain.

The year kicked off, events began.
We’re fighting for the future
of Russia and the common man,
and of all human nature.

Ivans, Mariyas, Pyotrs, Sashas ...
the living and the dead,
we’re all together, this is us,
the Russian folk. *Narod.*

And that includes us – you and I –
and so I say, my brothers:
that there’s no place within this fury
where we can hide and cover.

You don’t get to say this is not your war;
you don’t get to hide your eyes;
you don’t say ‘It’s not me you’re looking for,
I live on the other side.’

Не велик тебе расчет
Думать в одиночку.
Бомба – дура. Попадет
Сдуру прямо в точку.

На войне себя забудь,
Помни честь, однако,
Рвись до дела – грудь на грудь,
Драка – значит, драка.

И признать не премину,
Дам свою оценку,
Тут не то, что в старину, –
Стенкою на стенку.

Тут не то, что на кулак:
Поглядим, чей дюже, –
Я сказал бы даже так:
Тут гораздо хуже...

Ну, да что о том судить, –
Ясно все до точки.
Надо, братцы, немца бить,
Не давать отсрочки.

Раз война – про все забудь
И пенять не вправе,
Собирался в долгий путь,
Дан приказ: "Отставить!"

Сколько жил – на том конец,
От хлопот свободен.
И тогда ты – тот боец,
Что для боя годен.

You can't hum and haw, sit there all
alone in a room and ponder.
A bomb's an idiot. It will fall
like a fool on whatever's under.

Forget yourself when conflict starts:
the only thing is honour.
Meet your enemy heart to heart,
and remember: war means war.

And remember one more thing:
war's changed from what it was.
We've got tanks and we've got guns:
we've moved on from a man on a horse.

War's changed: it's not a boxing match,
to see which man is stronger –
it's turned to something much worse, much
harsher, crueller, wronger.

But what's the point in jabbering on:
the point is clear to everyone.
We have to fight, we have to win,
we have to beat the Germans.

The war makes you forget it all;
there's no need to complain.
Get ready to march, get ready to fall:
your dreams are all in vain.

It matters not how old you are:
you're freed from daily worry.
You're in the army, you're a soldier,
time to make yourself ready.

И пойдешь в огонь любой,
Выполнишь задачу.
И глядишь – еще живой
Будешь сам в придачу.

А застигнет смертный час,
Значит, номер вышел.
В рифму что-нибудь про нас
После нас напишут.

Пусть приврут хоть во сто крат,
Мы к тому готовы,
Лишь бы дети, говорят,
Были бы здоровы...

And, whatever the offensive,
you will fulfil your mission.
And if you come out still alive,
you've earned yourself promotion.

But if you get your ticket punched,
then it was meant to be.
And some poet down the line
will recall us in his poetry.

And they may lie, as poets do,
but we're prepared for that:
if all our children muddle through,
then the future's bright ...'

Тёркин ранен

На могилы, рвы, канавы,
На клубки колючки ржавой,
На поля, холмы – дырявой,
Изувеченной земли,
На болотный лес корявый,
На кусты – снега легли.

И густой поземкой белой
Ветер поле заволок.
Вьюга в трубах обгорелых
Загудела у дорог.

И в снегах непроходимых
Эти мирные края
В эту памятную зиму
Орудийным пахли дымом,
Не людским дымком жилья.

И в лесах, на мерзлой груде,
По землянкам без огней,
Возле танков и орудий
И простуженных коней
На войне встречали люди
Долгий счет ночей и дней.

И лихой, нещадной стужи
Не бранили, как ни зла:
Лишь бы немцу было хуже,
О себе ли речь там шла!

Tyorkin Wounded

On the graves and on the trenches,
on the barbed wire and the ditches,
on the hills and shell-shook patches
where nothing now can grow,
on the mud and on the hedges
softly lay the snow.

The wind laid snow in sheets across
the fields' faces.
The wind howled in the chimney-pots
of burnt-out houses.

And, among the heaps of snowflakes
that covered this peaceful terrain,
all you could smell this year was smoke –
smoke from guns, not chimney-smoke –
the shells scattered like grain.

In the forests, frozen stiff,
in bitter dugouts without heat,
hearing the horses cough and sniff,
keeping the tanks within his sight,
each soldier measured out his life:
the dragged-out count of days and nights.

But the wicked, merciless frost
did not make them grumble:
as long as the Nazis had it worst,
their good mood wouldn't crumble.

И желал наш добрый парень:
Пусть померзнет немец-барин,
Немец-барин не привык,
Русский стерпит – он мужик.

Шумным хлопом рукавичным,
Топотней по целине
Спозаранку день обычный
Начинался на войне.

Чуть вился дымок несмелый,
Оживал костер с трудом,
В закоптелый бак гремела
Из ведра вода со льдом.

Утомленные ночлегом,
Шли бойцы из всех берлог
Греться бегом, мыться снегом,
Снегом жестким, как песок.

А потом – гуськом по стежке,
Соблюдая свой черед,
Котелки забрав и ложки,
К кухням шел за взводом взвод.

Суп досыта, чай до пота, –
Жизнь как жизнь.
И опять война – работа:
– Становись!

***

Each pleasant soldier made his pleas:
Let the German aristo freeze.
He can't cope with the cold that falls;
the Russian can, for he's got ...

Mittens slapped together,
feet stamping in the frost:
this was how they faced the weather
as the war charged its human cost.

The weak smoke has barely risen
from off the reluctant fire,
and into the smoke-stained cauldron
both ice and water pour.

Worn out by their restful hours,
the bearish soldiers leave their lairs
to wash themselves with what's at hand:
snow, that stings and burns like sand.

Then they walk in single lines,
like obedient geese,
take their spoons and mess-tins
and head to the kitchen to feed.

Soup till they're full; tea till they sweat –
a man's a man, and a man's got to eat.
Then back to the war, back to the fight:
'Fall in! By the right ...!'

***

Вслед за ротой на опушку
Теркин движется с катушкой,
Разворачивает снасть, –
Приказали делать связь.

Рота головы пригнула.
Снег чернеет от огня.
Теркин крутит; – Тула, Тула!
Тула, слышишь ты меня?

Подмигнув бойцам украдкой:
Мол, у нас да не пойдет, –
Дунул в трубку для порядку,
Командиру подает.

Командиру все в привычку, –
Голос в горсточку, как спичку
Трубку книзу, лег бочком,
Чтоб поземкой не задуло.
Все в порядке.
– Тула, Тула,
Помогите огоньком...

Не расскажешь, не опишешь,
Что за жизнь, когда в бою
За чужим огнем расслышишь
Артиллерию свою.

Воздух круто завивая,
С недалекой огневой
Ахнет, ахнет полковая,
Запоет над головой.

Walking by the forest border,
Tyorkin's just obeying orders:
running wire from station to station
to set up field communications.

Everyone else doubles over.
The snow is black with German fire.
Tyorkin turns the handle: 'Tula?
Tula, Tula, are you there?'

He sneaks a wink to all the others:
'You said we'd never get it working!'
Then he blows into the receiver
and gives it to the captain.

The captain's used to speak in action –
he holds his voice in his hand like a match
with the receiver low; he lies down
so as not to get even colder.
It's all fine.
'Tula, Tula,
got any cover to lay down?'

There's no way to set it down in words,
the feeling, when the battle's heavy,
to hear, roaring overhead,
your own artillery.

Steeply shooting to the sky
the guns sigh and yip
from the nearby firing lines
above the heads of the troops.

А с позиций отдаленных,
Сразу будто бы не в лад,
Ухнет вдруг дивизионной
Доброй матушки снаряд.

И пойдет, пойдет на славу,
Как из горна, жаром дуть,
С воем, с визгом шепелявым
Расчищать пехоте путь,
Бить, ломать и жечь в окружку.
Деревушка? – Деревушку.
Дом – так дом. Блиндаж – блиндаж.
Врешь, не высидишь – отдашь!

А еще остался кто там,
Запорошенный песком?
Погоди, встает пехота,
Дай достать тебя штыком.

Вслед за ротою стрелковой
Теркин дальше тянет провод.
Взвод – за валом огневым,
Теркин с ходу – вслед за взводом,
Топит провод, точно в воду,
Жив-здоров и невредим.

Вдруг из кустиков корявых,
Взрытых, вспаханных кругом, –
Чох! – снаряд за вспышкой ржавой.
Теркин тотчас в снег – ничком.

Then, from even further back,
discordant with the general tune,
the biggest gun gives out a *whack!*
and sends a big shell down.

It flies on, to glory it flies,
fresh from a furnace, breathing flames,
with a whistle and a howl and a hiss,
breaking ground and clearing space,
breaking, crushing what surrounds it.
A village crushed with no remainder.
A house gone too, and the bunkers round it.
You'll not survive this: just surrender!

Is there someone still in hiding,
covered in a heap of dirt?
Just wait, the infantry's approaching
to get you with their bayonets.

Right behind the infantry
Tyorkin unrolls his wire.
It sinks down like water.
Tyorkin follows the soldiery,
the soldiery follows the covering fire,
and everything's in order.

Suddenly down into the bushes,
that still stand up in a land that's wrecked –
whump! a rusty shell comes rushing,
and Tyorkin straightway hits the deck.

Вдался вглубь, лежит – не дышит,
Сам не знает: жив, убит?

Всей спиной, всей кожей слышит,
Как снаряд в снегу шипит...

Хвост овечий – сердце бьется.
Расстается с телом дух.
"Что ж он, черт, лежит – не рвется,
Ждать мне больше недосуг".

Приподнялся – глянул косо.
Он почти у самых ног –
Гладкий, круглый, тупоносый,
И над ним – сырой дымок.

Сколько б душ рванул на выброс
Вот такой дурак слепой
Неизвестного калибра –
С поросенка на убой.

Оглянулся воровато,
Подивился – смех и грех:
Все кругом лежат ребята,
Закопавшись носом в снег.

Теркин встал, такой ли ухарь,
Отряхнулся, принял вид:
– Хватит, хлопцы, землю нюхать,
Не годится, – говорит.

Сам стоит с воронкой рядом
И у хлопцев на виду,
Обратясь к тому снаряду,
Справил малую нужду...

He burrows down and holds his breath,
and thinks 'Am I alive or dead?'

His back has ears, his skin does too,
to hear the shell hiss in the snow ...

He's all atremble – his heart's a drum.
His soul abandons his body.
'If the end will come then it should just come!
Come on, blow up already!'

He sat upright and looked around.
It's lying right by his feet –
smooth and stubby-nosed and round,
giving off a dampish reek.

How many souls could be hurried away
by this swollen bullet?
This lump of lead that lies there dumbly
like a fattened piglet.

He looked around with certain care,
then suddenly a laugh bursts out:
his fellow troops are lying there
with their faces in the dirt.

Tyorkin got up with some bravado,
shook himself clean and looked around:
'Kids, you won't get anywhere now,
not with your noses to the ground.'

He stands right by the open crater,
with the soldiers looking on,
unzips his fly and passes water
on the enemy weapon ...

Видит Теркин погребушку –
Не оттуда ль пушка бьет?
Передал бойцам катушку:
– Вы – вперед. А я – в обход.

С ходу двинул в дверь гранатой.
Спрыгнул вниз, пропал в дыму.
– Офицеры и солдаты,
Выходи по одному!..

Тишина. Полоска света.
Что там дальше – поглядим.
Никого, похоже, нету.
Никого. И я один.

Гул разрывов, словно в бочке,
Отдается в глубине.
Дело дрянь: другие точки
Бьют по занятой. По мне.

Бьют неплохо, спору нету,
Добрым словом помяни
Хоть за то, что погреб этот
Прочно сделали они.

Прочно сделали, надежно –
Тут не то что воевать,
Тут, ребята, чай пить можно,
Стенгазету выпускать.

Осмотрелся, точно в хате:
Печка теплая в углу,
Вдоль стены идут полати,
Банки, склянки на полу.

Then Tyorkin sees a distant bunker –
is that the bullets' starting ground?
He gave the wire to another soldier:
'You go straight, and I'll sneak round.'

He walked up, threw a grenade through the door,
then, hidden by the smoke, jumped down.
'Come on, soldiers and officers,
let's be having you, one by one!'

Quiet as the grave. A strip of light.
Let's have a look at what's beyond.
Nobody is here, alright.
Nobody. I'm all alone.

Then shots that echo, like in an oil drum,
boom in the dark.
It's not looking good: here the others come,
and I'm their mark.

They're not that bad, you can say it out loud –
the shots come in resounding.
This bunker where I'm hunkered down
was built to take a pounding.

Yes, they built it fairly strongly:
down here, you forget the war,
put your feet up, drink some tea,
stick some news reports on the walls ...

He looked around, it's cosy as hell:
a stove warms by the door,
the cots set up along the wall,
and jars and cans on the floor.

Непривычный, непохожий
Дух обжитого жилья:
Табаку, одежи, кожи
И солдатского белья.

Снова сунутся? Ну что же,
В обороне нынче – я-.
На прицеле вход и выход,
Две гранаты под рукой.

Смолк огонь. И стало тихо.
И идут – один, другой...

Теркин, стой. Дыши ровнее.
Теркин, ближе подпусти.
Теркин, целься. Бей вернее,
Теркин. Сердце, не части.

Рассказать бы вам, ребята,
Хоть не верь глазам своим,
Как немецкого солдата
В двух шагах видал живым.

Подходил он в чем-то белом,
Наклонившись от огня,
И как будто дело делал:
Шел ко мне – убить меня.

В этот ровик, точно с печки,
Стал спускаться на заду...

Теркин, друг, не дай осечки.
Пропадешь, – имей в виду.

It's quite unusual, it's rather strange,
the smell of this lived-in bunker:
tobacco, clothes and skin
and military issue underwear.

Will they come back? OK, then, good:
I'll be ready for them.
I've got the entrance and the exit covered,
and two grenades both primed.

A volley, then a silence that seems brand new.
Footsteps coming, one man, two ...

Tyorkin, hold it. Calm your breathing.
Tyorkin, let them get nearer first.
Tyorkin, aim. Shoot cleanly, Tyorkin.
Heart, don't beat so fast.

I'll tell you for a fact, lads,
though I didn't believe my eyes:
I saw one of those Nazis
come through the door, life size.

Dressed in white, his head bent down,
avoiding the bullets that whizzed around,
he came to get his duty done:
to see me in the ground.

He slid down into the foxhole
like a man coming to answer the door ...

Tyorkin, if you don't get your shot in, he'll
show you what's for.

За секунду до разрыва,
Знать, хотел подать пример;
Прямо в ровик спрыгнул живо
В полушубке офицер.

И поднялся незадетый,
Цельный. Ждем за косяком.
Офицер – из пистолета,
Теркин – в мягкое – штыком.

Сам присел, присел тихонько.
Повело его легонько.
Тронул правое плечо.
Ранен. Мокро. Горячо.

И рукой коснулся пола;
Кровь, – чужая иль своя?,

Тут как даст вблизи тяжелый,
Аж подвинулась земля!

Вслед за ним другой ударил,
И темнее стало вдруг.

“Это – наши, – понял парень, –
Наши бьют, – теперь каюк”.

Оглушенный тяжким гулом,
Теркин никнет головой.
Тула, Тула, что ж ты, Тула,
Тут же свой боец живой.

Maybe to set an example,
just a moment before I shot,
there jumped down into the foxhole
an officer in his wool coat.

The first Nazi was as yet unscathed,
and scampered out of the exit.
The officer drew his gun and fired;
Tyorkin used his bayonet.

And then he sat down softly, slowly.
As though a light were going out.
He touched his shoulder.
Wounded. Wet. Hot.

He touched the ground beside him.
Blood – his or another's?

A heavy shell landed close by him.
The ground shook and shuddered.

And another shell came down,
and the air suddenly darkened.

'It's our guys,' thought Tyorkin.
'It's our troops. This is the end.'

Tyorkin bows his head in despair,
deafened by the heavy throb.
There's still a soldier trapped in here,
Tula, why so good at your job?

Он сидит за стенкой дзота,
Кровь течет, рукав набряк.
Тула, Тула, неохота
Помирать ему вот так.

На полу в холодной яме
Неохота нипочем
Гибнуть с мокрыми ногами,
Со своим больным плечом.

Жалко жизни той, приманки,
Малость хочется пожить,
Хоть погреться на лежанке,
Хоть портянки просушить...

Теркин сник. Тоска согнула.
Тула, Тула... Что ж ты, Тула?
Тула, Тула. Это ж я...
Тула... Родина моя!..

***

А тем часом издалека,
Глухо, как из-под земли,
Ровный, дружный, тяжкий рокот
Надвигался, рос. С востока
Танки шли.

Низкогрудый, плоскодонный,
Отягченный сам собой,
С пушкой, в душу наведенной,
Стращен танк, идущий в бой.

He sits on the bunker floor;
his arm is swollen, he's bleeding out.
Tula, what did you do that for,
to let me die down here in the dark?

On the floor in a freezing pit:
it's no way to die like a soldier –
to die underground with sodden feet,
and a wounded shoulder.

It's the little things you love;
you live for the little things:
the chance to lie down by the stove,
the chance to dry your underthings ...

Tyorkin weakens and feels self-pity.
Tula, Tula ... what did you do?
'Tula, Tula, I'm here,' he cries.
'Tula ... My country, I vow to you ...!'

***

Meanwhile, at the edge of hearing,
a dull, subterranean sound,
an even, friendly, heavy humming
rose and began to resound.
The tanks were coming.

Low-slung, flat-bottomed,
dragging itself across the forest floor,
the tank with its terrible cannon
grinds its way into the war.

А за грохотом и громом,
За броней стальной сидят,
По местам сидят, как дома,
Трое-четверо знакомых
Наших стриженых ребят.

И пускай в бою впервые,
Но ребята – свет пройди,
Ловят в щели смотровые
Кромку поля впереди.

Видят – вздыбился разбитый,
Развороченный накат.
Крепко бито. Цель накрыта.
Ну, а вдруг как там сидят!

Может быть, притих до срока
У орудия расчет?
Развернись машина боком –
Бронебойным припечет.

Или немец с автоматом,
Лезть наружу не дурак,
Там следит за нашим братом,
Выжидает. Как не так.

Двое вслед за командиром
Вниз – с гранатой – вдоль стены.
Тишина. – Углы темны...

– Хлопцы, занята квартира, –
Слышат вдруг из глубины.

Along with the rumbles and clanks,
there sit behind the steel plates,
feeling quite at home in the tanks,
three or four shaven-headed mates,
the cream of the Soviet ranks.

So maybe it's their first time out,
but the kids have come to see the world,
though their only view's through the viewing slit
and necessarily curtailed.

They see the broken, reared-up planks,
the structure shot to bits.
Broken. Earth thrown up in banks.
D'you think there's someone under it?

Maybe the gunners are lying in wait
for their chance to send us to hell?
Turn the tank broadside and we'll get hit
with an armour-piercing shell.

Or maybe Nazis with machine-guns ...
They're not so dumb they'll just attack:
they'll wait till we're gone past and gone,
and then they'll follow. That's their trick.

Two men follow their commander
down into the broken bunker.
They've got grenades. The rooms are grim ...

'Sorry, lads, no room at the inn,'
comes the voice of a Russian soldier.

Не обман, не вражьи шутки,
Голос вправдашный, родной:
– Пособите. Вот уж сутки
Точка данная за мной...

В темноте, в углу каморки,
На полу боец в крови.
Кто такой? Но смолкнул Теркин,
Как там хочешь, так зови.

Он лежит с лицом землистым,
Не моргнет, хоть глаз коли.
В самый срок его танкисты
Подобрали, повезли.

Шла машина в снежной дымке,
Ехал Теркин без дорог.
И держал его в обнимку
Хлопец – башенный стрелок.

Укрывал своей одежей,
Грел дыханьем. Не беда,
Что в глаза его, быть может,
Не увидит никогда...

Свет пройди, – нигде не сыщешь,
Не случалось видеть мне
Дружбы той святей и чище,
Что бывает на войне.

It's not a joke, an enemy trick:
the voice is one of ours:
'Shake a leg now, I've been stuck
for almost a day down here.'

In the dark, in a corner,
lies a soldier bleeding out.
Who is it? Not a word says Tyorkin,
let them call him what they want.

He lies there with a pale face,
and doesn't move, doesn't even blink.
The tank crew has come to this place
right at the last minute.

The tank drove through the snowy fog,
With Tyorkin huddled in her.
Holding him in a loving hug:
one man, the turret-gunner.

He wrapped his own clothes around him,
and warmed him with his own breath.
You'll never see in a man's eyes such pain
as he tries to keep Tyorkin from death ...

You can travel the world and never notice
(and I've never seen before)
a friendship clean and pure as this:
the camaraderie of war.

О награде

– Нет, ребята, я не гордый.
Не загадывая вдаль,
Так скажу: зачем мне орден?
Я согласен на медаль.

На медаль. И то не к спеху.
Вот закончили б войну,
Вот бы в отпуск я приехал
На родную сторону.

Буду ль жив еще? – Едва ли.
Тут воюй, а не гадай.
Но скажу насчет медали:
Мне ее тогда подай.

Обеспечь, раз я достоин.
И понять вы все должны:
Дело самое простое –
Человек пришел с войны.

Вот пришел я с полустанка
В свой родимый сельсовет.
Я пришел, а тут гулянка.
Нет гулянки? Ладно, нет.

Я в другой колхоз и в третий –
Вся округа на виду.
Где-нибудь я в сельсовете
На гулянку попаду.

Gongs

Let's not go rushing ahead too far:
no, lads, I'm not proud at all,
but let's say, why do I need an honour
when I'd be happy with a medal?

Just a gong. And there's no hurry.
Let the war get over first,
let me return on holiday
to the land that gave me birth.

Will I live to see it? Mneh.
I'm a soldier, not a prophet.
But as far as the gong's concerned,
give it me after the fight.

Give it me when I have earned it.
You've got to understand my idea:
I'm making a very simple point –
I want to come home from the war.

Here I come from the village station
to my native village Soviet:
Is there a dance in honour of Tyorkin?
No, no dance? Well, no regrets.

I'll go to one collective farm
and then another – house to house.
There must be a party going down
somewhere in the Soviet space.

И, явившись на вечерку,
Хоть не гордый человек,
Я б не стал курить махорку,
А достал бы я "Казбек".

И сидел бы я, ребята,
Там как раз, друзья мои,
Где мальцом под лавку прятал
Ноги босые свои.

И дымил бы папиросой,
Угощал бы всех вокруг.
И на всякие вопросы
Отвечал бы я не вдруг.

– Как, мол, что? – Бывало всяко.
– Трудно все же? – Как когда.
– Много раз ходил в атаку?
– Да, случалось иногда.

И девчонки на вечерке
Позабыли б всех ребят,
Только слушали б девчонки,
Как ремни на мне скрипят.

И шутил бы я со всеми,
И была б меж них одна...
И медаль на это время
Мне, друзья, вот так нужна!

Ждет девчонка, хоть не мучай,
Слова, взгляда твоего...

– Но, позволь, на этот случай
Орден тоже ничего?

I'll find a party to head over to,
and though I'm not so proud,
I won't smoke heavy black tobacco
but only the sweet pre-rolled.

And lads, that's where I'll sit myself,
where I used to, as a boy,
hide under the common table
my legs so bare and skinny.

I'll light up my store of cigarettes,
offer them to all and sundry.
And anyone who asks for stories
will get the same reply.

'How was it then?' 'Alright, I guess.'
'And was it tough?' 'It was fine.'
'And did you fight them often?' 'Yes,
we fought from time to time.'

And all the lasses at the party
will forget about the lads,
and come to listen to my stories
and see my army duds.

I'll laugh and joke with one and all,
and one of them alone ...
That's when I'll need a medal,
to speak to that pretty one!

She'll wait, almost impatient,
to hear what I have to say ...

'You're saying that at that moment
An honour would get in your way?

Вот сидишь ты на вечерке,
И девчонка – самый цвет.

– Нет, – сказал Василий Теркин
И вздохнул. И снова: – Нет.
Нет, ребята. Что там орден.
Не загадывая вдаль,
Я ж сказал, что я не гордый,
Я согласен на медаль.

***

Теркин, Теркин, добрый малый,
Что тут смех, а что печаль.
Загадал ты, друг, немало,
Загадал далеко вдаль.

Были листья, стали почки,
Почки стали вновь листвой.
А не носит писем почта
В край родной смоленский твой.

Где девчонки, где вечерки?
Где родимый сельсовет?
Знаешь сам, Василий Теркин,
Что туда дороги нет.

Нет дороги, нету права
Побывать в родном селе.

Страшный бой идет, кровавый,
Смертный бой не ради славы,
Ради жизни на земле.

With the girl sitting there, smiling,
and ready ... ready to go?'

'No,' said Vasily Tyorkin,
and sighed. And then, again, 'No.
Let's not rush ahead too far:
no, lads, I'm not proud at all,
but why do I need an honour:
I'd be happy with a medal?

***

Here is sadness, here is laughter,
Tyorkin, Tyorkin, fine young man:
you have looked into the future
further than anyone really can.

The leaves came out, the blossom fell,
then leaves and fruit once more.
But nobody would take the mail
to the village where you were born.

Where are the girls, and where's the dancing?
The village where you grew?
You know too well, Vasili Tyorkin,
that no roads lead there now.

There are no roads, you have no right
to return to the place you were born.

A horrid war, a bloody fight,
a deadly struggle through the night
in the hope of a better dawn.

Гармонь

По дороге прифронтовой,
Запоясан, как в строю,
Шел боец в шинели новой,
Догонял свой полк стрелковый,
Роту первую свою.

Шел легко и даже браво
По причине по такой,
Что махал своею правой,
Как и левою рукой.

Отлежался. Да к тому же
Щелкал по лесу мороз,
Защемлял в пути все туже,
Подгонял, под мышки нес.

Вдруг – сигнал за поворотом,
Дверцу выбросил шофер,
Тормозит:
          – Садись, пехота,
Щеки снегом бы натер.

Далеко ль?
– На фронт обратно.
Руку вылечил.
– Понятно.
Не герой?
– Покамест нет.
– Доставай тогда кисет.

The Accordion

On a road out near the front,
with his belt tight, like he was on parade,
a soldier walked in a new greatcoat,
to catch up with his old cohort,
the first rifle brigade.

He walked lightly, even jauntily,
and the reason was this,
that his right arm once again swung freely,
just as it once did.

He was cured. And it was far below zero:
the frost made the trees creak and swing,
and the road seemed thinner to our hero,
as the cold got under his skin.

A car horn parped at the turn in the road
and the driver threw the door open wide
and slammed the brakes on:
'Rub some snow
on your face, and hop inside.'

'You going far?'
'Back to the front.
My arm's fixed now.'
'That's what we want.
You win a medal?'
'No, not yet.'
'Then roll me a cigarette.'

Курят, едут. Гроб – дорога.
Меж сугробами – туннель.
Чуть ли что, свернешь немного,
Как свернул – снимай шинель.

– Хорошо – как есть лопата.
– Хорошо, а то беда.
– Хорошо – свои ребята.
– Хорошо, да как когда.

Грузовик гремит трехтонный,
Вдруг колонна впереди.
Будь ты пеший или конный,
А с машиной – стой и жди.

С толком пользуйся стоянкой.
Разговор – не разговор.
Наклонился над баранкой, –
Смолк шофер,
Заснул шофер.

Сколько суток полусонных,
Сколько верст в пурге слепой
На дорогах занесенных
Он оставил за гобой...

От глухой лесной опушки
До невидимой реки –
Встали танки, кухни, пушки,
Тягачи, грузовики,
Легковые – криво, косо,
В ряд, не вряд, вперед-назад,
Гусеницы и колеса
На снегу еще визжат.

They smoke and drive. The road is hellish.
Tunnels through the drifts.
Swerve just slightly, and you're finished:
Greatcoats off, and shift.

'Good you happened to have a shovel.'
'Yes, good, or we'd be screwed.'
'Good that you know some helpful people.'
'Yes, good, I know a few.'

Onwards the three-tonne lorry forces,
till it meets a convoy line.
Some folk can go round it: men and horses,
but lorries have to bide their time.

An enforced pause: let's use it well,
and have a chat ... no, not a chat.
Slumped over the steering wheel,
the driver's fast asleep,
out flat.

How many days now, half asleep,
how many days through the blinding snow,
over roads all covered up
has the driver had to go ...

From the distant forest outskirts
to the river, far ahead –
here are tanks and cannons, kitchens,
snow-ploughs with wide rubber treads,
heavy ordnance, light artillery,
piled up with no rhyme or reason,
here and there, all higgledy-piggledy,
full of cracks the snow gets in.

На просторе ветер резок,
Зол мороз вблизи железа,
Дует в душу, входит в грудь –
Не дотронься как-нибудь.

– Вот беда: во всей колонне
Завалящей нет гармони,
А мороз – ни стать, ни сесть...

Снял перчатки, трет ладони,
Слышит вдруг:
– Гармонь-то есть.

Уминая снег зернистый,
Впеременку – пляс не пляс –
Возле танка два танкиста
Греют ноги про запас.

– У кого гармонь, ребята?
– Да она-то здесь, браток...-
Оглянулся виновато
На водителя стрелок.

– Так сыграть бы на дорожку?
– Да сыграть – оно не вред.
– В чем же дело? Чья гармошка?
– Чья была, того, брат, нет...

И сказал уже водитель
Вместо друга своего:
– Командир наш был любитель...
Схоронили мы его.

The wind is cruel out in the open;
the frost is hard as iron,
it hits your soul, it burns your chest –
keep out of it, if you know best.

'This is sad: here there's no one
who's even got an accordion,
and the frost is fearful bitter ...'

He slaps his hands, pulls off his mittens,
then a voice says, 'We've got one here'.

Stamping down the grainy snowfall
in turns – a dance that's not a dance –
two tank drivers by their vehicle
warm their legs up in advance.

'So, who's got the accordion?
'Yeah, it's over here ...'
The gunner guiltily glanced round
at the tank driver.

'So, shall I play something, or not?'
'Yeah, I guess ... no harm ...'
'What's up? Whose accordion was it?'
'It belonged to someone who's gone ...'

And then up spoke the driver
as his friend faded out:
'It belonged to our commander,
and we just put him underground.'

– Так... – С неловкою улыбкой
Поглядел боец вокруг,
Словно он кого ошибкой,
Нехотя обидел вдруг.

Поясняет осторожно,
Чтоб на том покончить речь:
– Я считал, сыграть-то можно,
Думал, что ж ее беречь.

А стрелок:
– Вот в этой башне
Он сидел в бою вчерашнем...
Трое – были мы друзья.

– Да нельзя так уж нельзя.
Я ведь сам понять умею,
Я вторую, брат, войну...
И ранение имею,
И контузию одну.
И опять же – посудите –
Может, завтра – с места в бой...
– Знаешь что, – сказал водитель, –
Ну, сыграй ты, шут с тобой.

Только взял боец трехрядку,
Сразу видно – гармонист.
Для началу, для порядку
Кинул пальцы сверху вниз.

Позабытый деревенский
Вдруг завел, глаза закрыв,
Стороны родной смоленской
Грустный памятный мотив,

‘Right...’ With an uncomfortable smile,
the soldier looked around him,
as though he’d been a fool
and made a stupid comment.

And then carefully he explained,
to calm the conversation:
‘I thought, it might be better played,
than kept without being played on.’

Then the gunner:
 ‘That’s the turret
where he was sitting when he caught it ...
The three of us were friends.’

‘Well, that’s where the story ends.
I get how you’re grounded:
this is my second war ...
I’ve been concussed and I’ve been wounded,
and keep coming back for more.
And I guess, who knows ... tomorrow
we’ll be under fire again ...’
‘You know what?’ said the driver. ‘Sod you,
just play the bloody thing.’

The soldier took the instrument:
it was clear he knew how to play.
Up and down the scales he went,
making himself ready.

Then he struck up a half-forgotten
village song, and closed his eyes:
a song from Smolensk, where he was born;
a sad song full of memories,

И от той гармошки старой,
Что осталась сиротой,
Как-то вдруг теплее стало
На дороге фронтовой.

От машин заиндевелых
Шел народ, как на огонь.
И кому какое дело,
Кто играет, чья гармонь.

Только двое тех танкистов,
Тот водитель и стрелок,
Все глядят на гармониста –
Словно что-то невдомек.

Что-то чудится ребятам,
В снежной крутится пыли.
Будто виделись когда-то,
Словно где-то подвезли...

И, сменивши пальцы быстро,
Он, как будто на заказ,
Здесь повел о трех танкистах,
Трех товарищах рассказ.

Не про них ли слово в слово,
Не о том ли песня вся.
И потупились сурово
В шлемах кожаных друзья.

А боец зовет куда-то,
Далеко, легко ведет.
– Ах, какой вы все, ребята,
Молодой еще народ.

and then that old accordion,
orphaned and abandoned
suddenly sounded lively and warm
on the frontline road.

And out from the iced-over convoy
there came an eager audience.
Not caring who was playing, or why,
but yearning for the accordion.

And the two tankmen stood amazed,
the driver and the gunner,
staring at the man who played
in a stupefied kind of wonder.

As though something appeared to them
in the whirling sheets of snow.
As though the figure who played the tune
was someone they used to know ...

The soldier, as though taking a request,
moved his fingers over the keyboard
and sang about the three *tankisty*,
a song about three comrades.

Wasn't it word for word about them,
wasn't it their personal song?
The two friends bowed their heads then,
as the music carried on.

And the soldier's music as he played
carried them far away.
'Oh, what are you all like, lads,
still so young and so unready.

Я не то еще сказал бы, –
Про себя поберегу.
Я не так еще сыграл бы, –
Жаль, что лучше не могу.

Я забылся на минутку,
Заигрался на ходу,
И давайте я на шутку
Это все переведу.

Обогреться, потолкаться
К гармонисту все идут.
Обступают.
 – Стойте, братцы,
Дайте на руки подуть.

– Отморозил парень пальцы, –
Надо помощь скорую.

– Знаешь, брось ты эти вальсы,
Дай-ка ту, которую...

И опять долой перчатку,
Оглянулся молодцом
И как будто ту трехрядку
Повернул другим концом.

И забыто – не забыто,
Да не время вспоминать,
Где и кто лежит убитый
И кому еще лежать.

So many things the song could say;
I'll keep them to myself forever.
There are some things that I can't play:
a shame I can't play better.

But look at me, I've lost my head
and played us all to tears:
let's spice the music up instead
and drive away our fears.'

They all stand round the accordion
to huddle, chat and linger.
They stand expectant.
'Just a second:
I need to warm my fingers.'

'Oh did the poor boy freeze his hands?
We'd better call an ambulance.'

'Come on, drop all this ¾ beat:
play us something with some heat.'

And the soldier takes off his mitten,
and looks round like a king
and seems to make the accordion
dance like an antic thing.

It's not that they forget where they are,
just put it to one side:
don't think about who's gone before
and who is yet to die.

И кому траву живому
На земле топтать потом,
До жены прийти, до дому, –
Где жена и где тот дом?

Плясуны на пару пара
С места кинулися вдруг.
Задышал морозным паром,
Разогрелся тесный круг.

– Веселей кружитесь, дамы!
На носки не наступать!

И бежит шофер тот самый,
Опасаясь опоздать.

Чей кормилец, чей поилец,
Где пришелся ко двору?
Крикнул так, что расступились:
– Дайте мне, а то помру!..

И пошел, пошел работать,
Наступая и грозя,
Да как выдумает что-то,
Что и высказать нельзя.

Словно в праздник на вечерке
Половицы гнет в избе,
Прибаутки, поговорки
Сыплет под ноги себе.

Who will tread the living grass
when all that is dead comes back to life;
who will go back to his wife and house ...
Where is his house? Where is his wife?

And the dancers, pair by pair,
step into the ring.
Breathing out the frozen air,
warmed by their dancing.

'Come on ladies, give it some welly!
Don't tread on people's feet!'

Here comes the driver of the lorry.
scared of arriving too late.

Who's here now, this family man,
the life and soul of the crew?
Shouting out as loud as he can:
'Let me show what I can do!'

Here he comes, and sets to dance,
stamps and threatens,
thinks up movements as he prances ...
words can't even ...

Just like peasants on a bender
dance on a village holiday,
joke and prank till the floorboards bend,
as the merriment holds sway.

Подает за штукой штуку:
– Эх, жаль, что нету стуку,
Эх, друг,
Кабы стук,
Кабы вдруг –
Мощеный круг!
Кабы валенки отбросить,
Подковаться на каблук,
Припечатать так, чтоб сразу
Каблуку тому – каюк!

А гармонь зовет куда-то,
Далеко, легко ведет...

Нет, какой вы все, ребята,
Удивительный народ.

Хоть бы что ребятам этим,
С места – в воду и в огонь.
Все, что может быть на свете,
Хоть бы что – гудит гармонь.

Выговаривает чисто,
До души доносит звук.
И сказали два танкиста
Гармонисту:
– Знаешь, друг...
Не знакомы ль мы с тобою?
Не тебя ли это, брат,
Что-то помнится, из боя
Доставляли мы в санбат?,

A joke, a joke, and one joke more:
'A shame there's not a real floor,
Hey, boys,
make some noise,
where's the ring
for our dancing?
We should throw our slippers away
and dance in hob-nailed boots,
and stamp so hard that suddenly
our heels would simply split!'

And the accordion calls to them,
and summons them far away ...

There's no one in the world like you, men:
an astonishing bunch of guys.

Whatever you throw at these kids,
they never blink, they just go on.
Whatever happens in the world,
you'll hear the wheezing accordion.

It speaks out clearly, openly;
its sound carries into your soul.
And the two tankists said to the
accordion-player:
'You know what, pal ...
Are you sure we've never met you?
Aren't you a guy we found in a hole?
Yeah, I know we wouldn't forget you ...
We drove you to the field hospital?

Вся в крови была одежа,
И просил ты пить да пить...
Приглушил гармонь:
– Ну что же,
Очень даже может быть.

– Нам теперь стоять в ремонте.
У тебя маршрут иной.
– Это точно...
– А гармонь-то,
Знаешь что, – бери с собой.

Забирай, играй в охоту,
В этом деле ты мастак,
Весели свою пехоту.
– Что вы, хлопцы, как же так?..

– Ничего, – сказал водитель, –
Так и будет. Ничего.
Командир наш был любитель,
Это – память про него...

И с опушки отдаленной
Из-за тысячи колес
Из конца в конец колонны:
"По машинам!" – донеслось.

И опять увалы, взгорки,
Снег да елки с двух сторон...
Едет дальше Вася Теркин, –
Это был, конечно, он.

You were in a German bunker,
covered in blood and unbearably thirsty ...'
And then the accordion-player
said 'That's as maybe,
yes, I guess it could have been me.'

'We're stuck here a while now.
You've got to be getting on.'
'Yeah, that's right'
                    'Well, off you go.
And ... yeah, take the accordion.

Play it when you feel the yen:
we can't get much use out of it.
Cheer up the guys in your battalion.'
'But ... Are you sure about this?'

'Don't mention it,' said the driver.
'It's fine. No worries.
He liked his music, our commander,
so play on in his memory ...'

And from the distant forest border
a thousand wheels began to spin.
'All aboard!' came down the order
the whole length of the column.

Hummocks and valleys, pine trees stalking
the convoy's winding course ...
On he travels, Vasya Tyorkin
(for it was him, of course).

Два солдата

В поле вьюга-завируха,
В трех верстах гудит война.
На печи в избе старуха,
Дед-хозяин у окна.

Рвутся мины. Звук знакомый
Отзывается в спине.
Это значит – Теркин дома,
Теркин снова на войне.

А старик как будто ухом
По привычке не ведет.
– Перелет! Лежи, старуха. –
Или скажет:
– Недолет...

На печи, забившись в угол,
Та следит исподтишка
С уважительным испугом
За повадкой старика,

С кем жила – не уважала,
С кем бранилась на печи,
От кого вдали держала
По хозяйству все ключи.

А старик, одевшись в шубу
И в очках подсев к столу,
Как от клюквы, кривит губы –
Точит старую пилу.

Two Soldiers

The field's whipped by wind and snow;
the sound of war three clicks away.
The old woman sits by the stove;
her husband at the window-pane.

The shells explode. It's a noise they know;
they feel it in their spines and shudder.
It means that Vasya Tyorkin's home,
that the war's come a little nearer.

And the old man seems to judge
the assault as a matter of habit.
'Here comes one now! Time to duck.'
Or else:
'That one won't make it ...'

In the corner, by the stove,
she sits there silently
fearfully respectful of
the old man's commentary,

although she normally doesn't trust him,
although they fight like a pair of monkeys,
although it's now a good long time
that she's held the household keys.

And the old man, wrapped up in his fur,
and wearing glasses, sits at the table,
twisting his lips like he drank something sour,
and sharpening a saw with some trouble.

– Вот не режет, точишь, точишь,
Не берет, ну что ты хочешь!.. –
Теркин встал:
– А может, дед,
У нее развода нет?

Сам пилу берет:
– А ну-ка...-
И в руках его пила,
Точно поднятая щука,
Острой спинкой повела.

Повела, повисла кротко.
Теркин щурится:
– Ну, вот.
Поищи-ка, дед, разводку,
Мы ей сделаем развод.

Посмотреть – и то отрадно:
Заваляшая пила
Так-то ладно, так-то складно
У него в руках прошла.

Обернулась – и готово.
– На-ко, дед, бери, смотри.
Будет резать лучше новой,
Зря инструмент не кори.

И хозяин виновато
У бойца берет пилу.
– Вот что значит мы, солдаты, –
Ставит бережно в углу.

'It just won't cut! I've sharpened it,
and nothing doing! The teeth won't bite!'
Tyorkin stands:
'Let's take a look, Granddad,
maybe it needs to be reset?'

He takes the saw:
'Now, just look here ...'
The blade twists in his hands:
just like a pike fished from the river,
its sharp spine flexes, bends.

Bends, and then hangs limply down.
And Tyorkin mutters:
'Right ...
I think it's just the setting. Now,
it's easy to put it right.'

Oh it's a pleasure to see him work:
the broken, blunted saw,
now with a twist and now with a jerk
is fixed in his hands once more.

He turns it over – now it's ready.
'Here, granddad, take it, have a look.
It'll cut better now than ever:
there's no point blaming your tools.'

And the old man, slightly guilty,
takes the saw from the soldier's hands.
'Just a little trick I picked up in the army.'
In the corner the bright tool stands.

А старуха:
– Слаб глазами.
Стар годами мой солдат.
Поглядел бы, что с часами,
С той войны еще стоят ...

Снял часы, глядит: машина,
Точно мельница, в пыли.
Паутинами пружины
Пауки обволокли.

Их повесил в хате новой
Дед-солдат давным-давно:
На стене простой сосновой
Так и светится пятно.

Осмотрев часы детально, –
Все ж часы, а не пила, –
Мастер тихо и печально
Посвистел:
– Плохи дела...

Но куда-то шильцем сунул,
Что-то высмотрел в пыли,
Внутрь куда-то дунул, плюнул, –
Что ты думаешь, – пошли!

Крутит стрелку, ставит пятый,
Час – другой, вперед – назад.
– Вот что значит мы, солдаты.
Прослезился дед-солдат.

The old woman says:
'My eyes are weak.
My own old soldier's getting on.
Can you take a look at the clock:
it's since the last war that it's not gone ...'

He takes the clock and looks:
the inside's dusty as a mill.
Spiders' webs all over the cogs,
and spiders running over the wheels.

Grandad, when he was a soldier,
hung this clock in their brand-new hut:
you can see the patch of pine there,
as if brand-new, and shining white.

A tentative look inside the body –
yes, it's a clock and not a saw –
and then the expert whistles sadly:
'Lordy, this is pretty poor.'

But he sticks an awl into the works,
spies out something in all the dirt,
spits inside the clockwork, blows –
and what do you reckon: the clock goes!

He sets the time to five, five-thirty;
swings the hands here, swings them there.
'Just a little trick I picked up in the army.'
And granddad's almost moved to tears.

Дед растроган, а старуха,
Отслонив ладонью ухо,
С печки слушает:
– Идут!
– Ну и парень, ну и шут...

Удивляется. А парень
Услужить еще не прочь.
– Может, сало надо жарить?
Так опять могу помочь.

Тут старуха застонала:
– Сало, сало! Где там сало...

Теркин:
– Бабка, сало здесь.
Не был немец – значит, есть!

И добавил, выжидая,
Глядя под ноги себе:
– Хочешь, бабка, угадаю,
Где лежит оно в избе?

Бабка охнула тревожно,
Завозилась на печи.
– Бог с тобою, разве можно...
Помолчи уж, помолчи.

А хозяин плутовато
Гостя под локоть тишком:
– Вот что значит мы, солдаты,
А ведь сало под замком.

Granddad's moved, and the old woman,
with a hand cupped at her ear,
listens from the stove:
'It's going!'
'The lad's a smart one, have no fear ...'

She's struck dumb, but our young Tyorkin
still is ready to help the pair.
'Maybe I could fry some bacon?
Any more work going spare?'

The little old lady started groaning:
'Bacon, bacon! If only there were ...'

Tyorkin:
'Grandma, of course there's bacon.
The Germans haven't been: there's bacon here!'

And he added, looking down,
at the floor beneath his feet:
'You need me to make a suggestion
of where there's bacon in this hut?'

The little old lady made a worried noise,
and began to bustle around.
'Heaven save you, maybe there's ...
Shush, no, not a sound.'

The old man nudged the young man firmly,
sticking an elbow in his side:
'All these tricks we pick up in the army:
you know where the bacon's gone to hide ...'

Ключ старуха долго шарит,
Лезет с печки, сало жарит
И, страдая до конца,
Разбивает два яйца.

Эх, яичница! Закуски
Нет полезней и прочней.
Полагается по-русски
Выпить чарку перед ней.

– Ну, хозяин, понемножку,
По одной, как на войне.
Это доктор на дорожку
Для здоровья выдал мне.

Отвинтил у фляги крышку:
– Пей, отец, не будет лишку.

Поперхнулся дед-солдат.
Подтянулся:
– Виноват!..

Крошку хлебушка понюхал.
Пожевал – и сразу сыт.

А боец, тряхнув над ухом
Тою флягой, говорит:
– Рассуждая так ли, сяк ли,
Все равно такою каплей
Не согреть бойца в бою.
Будьте живы!
– Пейте.
– Пью...

The woman searches and finds the key,
gets some rashers and fries a couple,
and then, suffering terribly,
cracks a couple of eggs as well.

Scrambled eggs! There's not a meal
that's simpler, or better for you.
The Russian custom says you shall
have a shot or two before you.

'Come on now, man, just a drop,
one shot each, like in a war.
On the road some medical chap
for my health prescribed me vodka.'

He unscrewed the vodka's cap:
'Come on now, man, just a drop.'

The old man turned bright red and spluttered.
Then thumped his chest and coughed and muttered.

Sniffed a piece of bread, a crust,
took a bite, and seemed quite full.

And the soldier took the flask
and shook it by his ear:
'Whatever you think of this stuff,
a drop like this is not enough
to keep a fighter warm in battle.
Come on,
drink up!
Let's kill the bottle.'

И сидят они по-братски
За столом, плечо в плечо.
Разговор ведут солдатский,
Дружно спорят, горячо.

Дед кипит:
– Позволь, товарищ.
Что ты валенки мне хвалишь?
Разреши-ка доложить.
Хороши? А где сушить?

Не просушишь их в землянке,
Нет, ты дай-ка мне сапог,
Да суконные портянки
Дай ты мне – тогда я бог!

Снова где-то на задворках
Мерзлый грунт боднул снаряд.
Как ни в чем – Василий Теркин,
Как ни в чем – старик солдат.

– Эти штуки в жизни нашей, –
Дед расхвастался, – пустяк!
Нам осколки даже в каше
Попадались. Точно так.
Попадет, откинешь ложкой,
А в тебя – так и мертвец.

– Но не знали вы бомбежки,
Я скажу тебе, отец.

And they sat like a couple of brothers,
at the table, side by side.
Talking about the work of soldiers;
arguing to save their pride.

Granddad boiled up:
'Look, lad,
what about the boots we've had?
Let me give you my report
on felt boots: how to dry them out?

They won't dry, even in a bunker,
no, I want boots made of leather,
and cloths to wrap my feet around,
and then that's me, sound as a pound!'

Somewhere round the kitchen garden
another shell hit the frozen land.
He didn't care, Vasily Tyorkin;
he didn't care, the good old man.

'Back in my day, in the army,'
the old man swaggered, 'that was nothing!
I even had shrapnel land in my
porridge, like that, zing!
You scoop it out, you eat your food,
and if it hits you, you're a dead man.

'But you never have withstood
a proper artillery bombardment.'

– Это верно, тут наука,
Тут напротив не попрешь.
А скажи, простая штука
Есть у вас?
– Какая?
– Вошь.

И, макая в сало коркой,
Продолжая ровно есть,
Улыбнулся вроде Теркин
И сказал
– Частично есть...

– Значит, есть? Тогда ты – воин,
Рассуждать со мной достоин.
Ты – солдат, хотя и млад,
А солдат солдату – брат.

И скажи мне откровенно,
Да не в шутку, а всерьез.
С точки зрения военной
Отвечай на мой вопрос.
Отвечай: побьем мы немца
Или, может, не побьем?

– Погоди, отец, наемся,
Закушу, скажу потом.

Ел он много, но не жадно,
Отдавал закуске честь,
Так-то ладно, так-то складно,
Поглядишь – захочешь есть.

'That's a fact, I guess ... yes,
no way to paint that nice.
And do you still have those little creatures?
'What do you mean?'
'You know ...
Lice.'

Dipping his crust in the bacon-fat,
and eating imperturbably on,
something like a smile came to Tyorkin's face
and he said,
'Yes, we've got some ...'

'You've got lice? Then you're a real soldier,
and we're worthy to sit together.
Though you're young, you are a soldier,
and every soldier is a brother.

Come on, tell me truly now,
not as a joke, but tell me straight.
From a soldier's point of view
answer this question I've got.
Tell me: will we beat the Germans
or will we not?'

'Come on, granddad, let's get done
with eating, then I'll say it straight out.'

He ate a lot, but wasn't greedy,
doing justice to the food;
his manners fine, not stuffy, not needy:
homely but never rude.

Всю зачистил сковородку,
Встал, как будто вдруг подрос,
И платочек к подбородку,
Ровно сложенный, поднес.
Отряхнул опрятно руки
И, как долг велит в дому,
Поклонился и старухе
И солдату самому.
Молча в путь запоясался,
Осмотрелся – все ли тут?
Честь по чести распрощался,
На часы взглянул: идут!
Все припомнил, все проверил,
Подогнал и под конец
Он вздохнул у самой двери
И сказал:
– Побьем, отец...

В поле вьюга-завируха,
В трех верстах гремит война.
На печи в избе – старуха.
Дед-хозяин у окна.

В глубине родной России,
Против ветра, грудь вперед,
По снегам идет Василий
Теркин. Немца бить идет.

He wiped the frying-pan clean,
and stood up, like a real man,
and touched the cotton napkin
to his even, manly chin.
Then shook down his rolled-up sleeves
and, as it was a traditional home,
bowed to the old woman deeply,
and equally deeply to the old man.
Strapped on his belt in silence,
looked around: had he got it all?
Said goodbye to the man and the woman,
looked up at the clock on the wall.
He had his gear, he'd checked it well,
all fixed and fitted ... at the door
he sighed and looked back at the couple
and said,
'We're going to win this war.'

The field's whipped by wind and snow;
the sound of war three clicks away.
The old woman sits by the stove;
her husband at the window-pane.

In the heart of mother Russia,
pushing on against the night,
Tyorkin walks through snow and blizzard,
ready and prepared to fight.

О потере

Потерял боец кисет,
Заискался, – нет и нет.

Говорит боец:
– Досадно.
Столько вдруг свалилось бед:
Потерял семью. Ну, ладно.
Нет, так на тебе – кисет!

Запропастился куда-то,
Хвать-похвать, пропал и след.
Потерял и двор и хату.
Хорошо. И вот – кисет.

Кабы годы молодые,
А не целых сорок лет...
Потерял края родные,
Все на свете и кисет.

Посмотрел с тоской вокруг:
– Без кисета, как без рук.

В неприютном школьном доме
Мужики, не детвора.
Не за партой – на соломе,
Перетертой, как костра.

Спят бойцы, кому досуг.
Бородач горюет вслух:

Losing Things

A soldier lost his tobacco pouch,
and looked all over for it – zilch.

The soldier says
'Well, this is great.
How much grief can one man take?
I've lost my family. O.K.
But my pouch ... surely some mistake.

It must have fallen down some place,
and oopsy-daisy, disappeared.
I lost my farm and lost my house.
Fair enough, but this is serious.

If I were a little younger
and forty hadn't heaved into view ...
I've lost my home, my mother, father,
I've lost it all, and my pouch too.'

He looked sadly all around:
'Lose your pouch, like losing a hand.'

Here, in this spartan schoolroom
were no schoolboys, only men:
Not at the desks, but on straw mats
overused and worn down.

The soldiers not on duty slept.
The bearded soldier growled and kvetched:

– Без кисета у махорки
Вкус не тот уже. Слаба!
Вот судьба, товарищ Теркин.-
Теркин:
– Что там за судьба!

Так случиться может с каждым, –
Возразил бородачу, –
Не такой со мной однажды
Случай был. И то молчу.

И молчит, сопит сурово.
Кое-где привстал народ.
Из мешка из вещевого
Теркин шапку достает.

Просто шапку меховую,
Той подругу боевую,
Что сидит на голове.
Есть одна. Откуда две?

– Привезли меня на танке, –
Начал Теркин, – сдали с рук.
Только нет моей ушанки,
Непорядок чую вдруг.

И не то чтоб очень зябкий, –
Просто гордость у меня.
Потому, боец без шапки – .
Не боец. Как без ремня.

А девчонка перевязку
Нежно делает, с опаской,
И, видать, сама она
В этом деле зелена.

‘If there’s no pouch for your *makhorka*
then it tastes awful, loses strength.
Just my luck, eh, comrade Tyorkin?’
Tyorkin:
‘Your luck, whadda you mean?

This could happen to anyone,’
Tyorkin says to the bearded man.
‘Something like this happened once
to me, and you don’t hear me whine.’

He stops talking and starts sniffing.
Another soldier half stands up.
Out of a bag inside his kitbag
Tyorkin takes a cap.

Just a normal soldier’s fur hat,
like most of the other guys have got,
the kind that lads wear in the war.
Tyorkin’s got one: why one more?

‘They brought me over in a tank,’
Tyorkin began, ‘and gave me over.
But I didn’t have my cap
and suddenly felt out of order.

It’s just that my pride was hurt,
not that I was feeling cold:
a soldier who doesn’t have a hat
isn’t a soldier. Ditto a belt.

The girl who came to bandage me
did everything very carefully:
you could see that she was new
to this hard work she had to do.

– Шапку, шапку мне, иначе
Не поеду! – Вот дела.
Так кричу, почти что плачу,
Рана трудная была.

А она, девчонка эта,
Словно "баюшки-баю":
– Шапки вашей, – молвит, – нету,
Я вам шапку дам свою.

Наклонилась и надела.
– Не волнуйтесь, – говорит
И своей ручонкой белой
Обкололась: был небрит.

Сколько в жизни всяких шапок
Я носил уже – не счесть,
Но у этой даже запах
Не такой какой-то есть...

– Ишь ты, выдумал примету.
– Слышал звон издалека.
– А зачем ты шапку эту
Сохраняешь?
– Дорога.

Дорога бойцу, как память.
А еще сказать могу
По секрету, между нами, –
Шапку с целью берегу.

И в один прекрасный вечер
Вдруг случится разговор:
"Разрешите вам при встрече
Головной вручить убор..."

"I need my hat!" I shouted violently,
"I can't go anywhere without it."
I shouted so much I was nearly crying –
yes, I had been badly wounded.

And this girl, this novice nurse,
as though she were singing a lullaby,
said, "I don't know where your hat is,
but I'll give you mine instead."

She bent over and put it on.
"Don't you worry now," she said,
and she scraped her hand across
my stubbly, close-shaven head.

I can't tell you how many hats
I've worn since then – it's ... well!
But there was something about this one that
was different ... even the smell ...'

'Right, it's a true-love token, it's not a hat.'
'Yeah, he can hear the wedding bells.'
'Hey, Tyorkin, why'd you keep that bonnet?'
'I've told you once. It means the world.

It means the world to me, as a memory.
And there's something else,
a secret just between you and me –
this hat is one of my goals.

One fine evening you will hear
the following conversation:
"Please allow me to return you, dear,
your headwear contribution ..."'

Сам привстал Василий с места
И под смех бойцов густой,
Как на сцене, с важным жестом
Обратился будто к той,
Что пять слов ему сказала,
Что таких ребят, как он,
За войну перевязала,
Может, целый батальон.

– Ишь, какие знает речи,
Из каких политбесед:
"Разрешите вам при встрече..."
Вон тут что. А ты – кисет.

– Что ж, понятно, холостому
Много лучше на войне:
Нет тоски такой по дому,
По детишкам, по жене.

– Холостому? Это точно.
Это ты как угадал.
Но поверь, что я нарочно
Не женился. Я, брат, знал!

– Что ты знал! Кому другому
Знать бы лучше наперед,
Что уйдет солдат из дому,
А война домой придет.

Что пройдет она потопом
По лицу земли живой
И заставит рыть окопы
Перед самою Москвой.
Что ты знал!..

And Tyorkin stands up on the floor
amid his fellows' laughter,
and with an actorly gesture
seems to give the hat back to her,
the girl with whom he exchanged a sentence,
the girl who doubtless, in the war,
has seen soldiers like him in their hundreds,
and bandaged them up, and went for more.

'Oh, he's got the words down pat –
like from the propaganda team:
"Please allow me to return your hat ..."
That's the way to do it, pouchy.'

'Well, of course, a bachelor
has got it better in the war:
no fear about his civilian life,
about his kids, about his wife.'

'A bachelor? You're on the mark.
How did you ever guess?
But don't you think that it was chance:
I knew I shouldn't get married, boys!'

'And how'd you know? Who could have guessed
or had any way of knowing
that a soldier would leave his place of rest
when the war came knocking?

That the war would come like a flood
across the land, like a pall,
and make us dig in, shed our blood
right here, at Moscow's walls.
Yeah right, you knew!'

– А ты постой-ка,
Не гляди, что с виду мал,
Я не столько,
Не полстолько, –
Четверть столько! –
Только знал.

– Ничего, что я в колхозе,
Не в столице курс прошел.
Жаль, гармонь моя в обозе,
Я бы лекцию прочел.

Разреши одно отметить,
Мой товарищ и сосед:
Сколько лет живем на свете?
Двадцать пять! А ты –
кисет.

Бородач под смех и гомон
Роет вновь труху-солому,
Перещупал все вокруг:
– Без кисета, как без рук...

– Без кисета, несомненно,
Ты боец уже не тот.
Раз кисет – предмет военный,
На-ко мой, не подойдет?

Принимай, я – добрый парень.
Мне не жаль. Не пропаду.
Мне еще пять штук подарят
В наступающем году.

‘No, shut your mouth right there!
I know I’m not that much to you,
but all I’m saying
no denying,
not explaining ...
I just knew!

I grew up on a collective farm,
and not in swanky Moscow,
but if I had my accordion
there’s things I could teach you.

And now, my friend, and now, my comrade,
let me ask you one more question:
how old are you? Twenty-eight!
And crying over your spleuchan!’

The bearded man, as his friends laugh,
rifles once more through the chaff,
and says to all his friends about him:
‘It’s just I feel lost without it ...’

‘Yeah, I see, if you’ve lost your pouch,
then you’re not half the soldier you were.
Take mine then, if it means so much,
And helps you get through the war ...

No, seriously, I don’t care,
I’ll get by fine without it.
I’m sure I’ll get sent at least five more
in the next comfort packet.’

Тот берет кисет потертый,
Как дитя, обновке рад...

И тогда Василий Теркин
Словно вспомнил:
– Слушай, брат,

Потерять семью не стыдно –
Не твоя была вина.
Потерять башку – обидно,
Только что ж, на то война.

Потерять кисет с махоркой,
Если некому пошить, –
Я не спорю, – тоже горько,
Тяжело, но можно жить,
Пережить беду-проруху,
В кулаке держать табак,
Но Россию, мать-старуху,
Нам терять нельзя никак.

Наши деды, наши дети,
Наши внуки не велят.
Сколько лет живем на свете?
Тыщу?.. Больше! То-то, брат!

Сколько жить еще на свете, –
Год, иль два, иль тащи лет, –
Мы с тобой за все в ответе.
То-то, врат! А ты – кисет...

The man takes Tyorkin's worn-out pouch
like a child with a new toy ...

And then Vasya Tyorkin touches
him on the arm and mutters, 'Hey,

There's no shame in losing a family:
of course it's not your fault.
If you lose your head, that's clumsy,
But, you know, we are at war ...

But lose a pouch and your tobacco,
when no one's there to sew you one:
I won't argue, that's a fucker,
and hard to cope with, but soldier on.
You'll get through it, nothing to it,
keep your baccy in your fist,
but Russia, mother, if we lose her,
she will hurt us, she'll be missed.

Our granddads and our grandchildren
won't allow us to lose this fight.
How long will our world go on?
A thousand years? Something like that, right?

But however long we live,
a year, or two, or not that much:
we must give all we have to give.
And you, with your tobacco pouch ...'

Поединок

Немец был силен и ловок,
Ладно скроен, крепко сшит,
Он стоял, как на подковах,
Не пугай – не побежит.

Сытый, бритый, береженый,
Дармовым добром кормленный,
На войне, в чужой земле
Отоспавшийся в тепле.

Он ударил, не стращая,
Бил, чтоб сбить наверняка.
И была как кость большая
В русской варежке рука...

Не играл со смертью в прятки, –
Взялся – бейся и молчи, –
Теркин знал, что в этой схватке
Он слабей: не те харчи.

Есть войны закон не новый:
В отступленье – ешь ты вдоволь,
В обороне – так ли сяк,
В наступленье – натощак.

Немец стукнул так, что челюсть
Будто вправо подалась.
И тогда боец, не целясь,
Хряснул немца промеж глаз.

The Duel

Strong and lively was the Nazi,
welded firmly, firmly sewn,
standing like he was wearing horseshoes,
and unafraid, not about to run.

Well looked after, clean shaven,
full of food that he had stolen,
requisitioned in the war:
he'd spent the night in comfort, warm.

He swung a punch, and wasn't playing:
hit out like he was keen on pain.
And in his stolen Russian mitten
his fist was like a lump of bone ...

Keen to go toe-to-toe with death,
he fought in silence, blow on blow,
Tyorkin knew he wasn't strong enough:
hadn't eaten enough chow.

It's not new, this army rule:
when retreating, eat your fill;
to hold a position, eat on and off;
to fight an enemy, starve yourself.

The Nazi hit so hard that Tyorkin
felt his jaw swing to the right.
Then our hero, without aiming,
crunched the Hun between the eyes.

И еще на снег не сплюнул
Первой крови злую соль,
Немец снова в санки сунул
С той же силой, в ту же боль.

Так сошлись, сцепились близко,
Что уже обоймы, диски,
Автоматы – к черту, прочь!
Только б нож и мог помочь.

Бьются двое в клубах пара,
Об ином уже не речь, –
Ладит Теркин от удара
Хоть бы зубы заберечь.

Но покуда Теркин санки
Сколько мог
В бою берег,
Двинул немец, точно штангой,
Да не в санки,
А под вздох.

Охнул Теркин: плохо дело,
Плохо, думает боец.
Хорошо, что легок телом –
Отлетел. А то б – конец...

Устоял – и сам с испугу
Теркин немцу дал леща,
Так что собственную руку
Чуть не вынес из плеча.

And scarcely had he spat the nasty
first salt blood onto the snow
than came again the vicious Nazi
to deal him another blow.

They fought and struggled, hand to hand –
guns and bullets both abandoned –
no space for guns in all this strife,
each of them wishing he had a knife.

They steamed like horses as they fought,
and it's the honest truth
that Tyorkin dodged from side to side
and mostly saved his teeth.

But while Tyorkin kept his mouth
safe and shut,
avoiding hurt,
the Nazi spun and caught him – ouch! –
not in the teeth
but in the gut.

Tyorkin gasped. 'This isn't great,
it's really not,' the soldier thought.
'Good thing I'm not a heavyweight
or else I'd have been down and out ...'

His feet were planted on the ground;
he took a frightened swing
that almost put his shoulder out.
He gave it everything.

Черт с ней! Рад, что не промазал,
Хоть зубам не полон счет,
Но и немец левым глазом
Наблюденья не ведет.

Драка – драка, не игрушка!
Хоть огнем горит лицо,
Но и немец красной юшкой
Разукрашен, как яйцо.

Вот он-в полвершке – противник.
Носом к носу. Теснота.
До чего же он противный –
Дух у немца изо рта.

Злобно Теркин сплюнул кровью,
Ну и запах! Валит с ног.
Ах ты, сволочь, для здоровья,
Не иначе, жрешь чеснок!

Ты куда спешил – к хозяйке?
Матка, млеко? Матка, яйки?
Оказать решил нам честь?
Подавай! А кто ты есть,

Кто ты есть, что к нашей бабке
Заявился на порог,
Не спросясь, не скинув шапки
И не вытерши сапог?

Со старухой сладить в силе?
Подавай! Нет, кто ты есть,
Что должны тебе в России
Подавать мы пить и есть?

Damn him! Well, I think I served him,
though my mouth's been through the mill ...
I think his left eye's out of service,
and his face isn't looking well.

Keep on fighting, it's no game,
though my body starts to beg,
and the Nazi's bloody face
looks like a tie-dyed Easter egg.

He's an inch away, the foe.
Face to face, almost mouth to mouth –
he's got a secret weapon, though:
his stinking Nazi breath.

Tyorkin spits more blood, he's angry:
what a reek! You almost feel it.
You bastard! What, when you were hungry
what did you do? Eat raw garlic?

Gone to some poor woman's farm?
Bitte, milky? Bitte, ekks?
How nice of you to even ask.
Here, take it all! But who the fuck,

who the fuck do you think you are
to barge into a Russian house
without asking, without closing the door,
without wiping your shoes?

So, you can threaten an old woman?
You take it all, but what the fuck
do you think you're owed by the Russians
that you can steal their food and drink?

Не калека ли убогий,
Или добрый человек – -
Заблудился
По дороге,
Попросился
На ночлег?

Добрым людям люди рады.
Нет, ты сам себе силен,
Ты наводишь
Свой порядок.
Ты приходишь –
Твой закон.

Кто ж ты есть? Мне толку нету,
Чей ты сын и чей отец.
Человек по всем приметам, –
Человек ты? Нет. Подлец!

Двое топчутся по кругу,
Словно пара на кругу,
И глядят в глаза друг другу:
Зверю – зверь и враг – врагу.

Как на древнем поле боя,
Грудь на грудь, что щит на щит, –
Вместо тысяч бьются двое,
Словно схватка все решит.

А вблизи от деревушки,
Где застал их свет дневной,
Самолеты, танки, пушки
У обоих за спиной.

Would we turn away a beggar
or any normal, pleasant guy –
someone looking
for a bed, or
someone lost along
the highway?

We're always happy to offer care.
But not to you, who comes by force.
Making us live
by your order.
Coming here
and making laws.

Who the fuck are you? I don't care
Who's your son and who's your dad.
You almost look like a normal person,
but that's a lie: you're just a bastard.

The two men stomp round in a circle,
like two dancers in a circle,
and they stare in each other's eyes,
like animals or enemies.

Like an ancient camp of battle,
chest to chest and shield to shield,
fighting for thousands in their single
combat, waiting for one to yield.

Round about them, near the town
where this combat's taking place,
all the forces move to action:
tanks and guns and aeroplanes.

Но до боя нет им дела,
И ни звука с тех сторон.
В одиночку – грудью, телом
Бьется Теркин, держит фронт.

На печальном том задворке,
У покинутых дворов
Держит фронт Василий Теркин,
В забытьи глотая кровь.

Бьется насмерть парень бравый,
Так что дым стоит сырой,
Словно вся страна-держава
Видит Теркина:
– Герой!

Что страна! Хотя бы рота
Видеть издали могла,
Какова его работа
И какие тут дела.

Только Теркин не в обиде.
Не затем на смерть идешь,
Чтобы кто-нибудь увидел.
Хорошо б. А нет – ну что ж...

Бьется насмерть парень бравый –
Так, как бьются на войне.
И уже рукою правой
Он владеет не вполне.

Кость гудит от раны старой,
И ему, чтоб крепче бить,
Чтобы слева класть удары,
Хорошо б левшою быть.

But they don't care about the context,
or the roaring, surrounding sound.
One on one, and chest to chest,
Tyorkin fights, his body his front.

In this sad, abandoned courtyard,
with empty houses standing by,
Tyorkin spat and swallowed blood
and held his own front line.

Tyorkin will fight until he dies or wins;
steam rises like a halo,
and all the watching thrones, dominions
declare him to be a hero.

Well, no one's watching, not even men
stationed far away,
who could see what's going on
and how things are going to be.

All this doesn't bother Tyorkin.
That's not why you go to war,
the hope that you'll be seen by someone –
that's not what you're fighting for ...

Tyorkin will fight till he wins or dies –
that's just what you do.
His right arm's hanging by his side:
it's not going to be much use.

The bones scrape from his earlier fight,
and he would be in a better state
if he could forget about his right
if he could use his left instead.

Бьется Теркин,
В драке зоркий,
Утирает кровь и пот.
Изнемог, убился Теркин,
Но и враг уже не тот.

Далеко не та заправка,
И побита морда вся,
Словно яблоко-полявка,
Что иначе есть нельзя.

Кровь – сосульками. Однако
В самый жар вступает драка.

Немец горд.
И Теркин горд.
– Раз ты пес, так я – собака,
Раз ты черт,
Так сам я – черт!

Ты не знал мою натуру,
А натура – первый сорт.
В клочья шкуру –
Теркин чуру
Не попросит. Вот где черт!

Кто одной боится смерти –
Кто плевал на сто смертей.
Пусть ты черт. Да наши черти
Всех чертей
В сто раз чертей.

Tyorkin fights
with left (and right),
leaking sweat and blood.
Tyorkin's not beaten, but he's beat,
though the Nazi doesn't look too good.

He's not the man he used to be,
and his face is bashed about,
like a windfall apple off a tree:
the kind you would not eat.

Blood hangs down like icicles.
The fight will end when one of them falls.

The German's proud.
And Tyorkin's proud.
'Come and fight if you've got the balls:
You're a bastard,
I'm a bastard!

You don't know what I'm like,
But I'm like nothing on earth.
You can rip me to shreds if you like,
but I'll never call for mercy!

The coward dies a thousand times,
but I can only die once.
So you're a bastard? Well behold the lines
of a stone-hard, savage
c***.

Бей, не милуй. Зубы стисну,
А убьешь, так и потом
На тебе, как клещ, повисну,
Мертвый буду на живом.

Отоспись на мне, будь ласков,
Да свали меня вперед.

Ах, ты вон как! Драться каской?
Ну не подлый ли народ!

Хорошо же! –
И тогда-то,
Злость и боль забрав в кулак,
Незаряженной гранатой
Теркин немца – с левой – шмяк!

Немец охнул и обмяк...

Теркин ворот нараспашку,
Теркин сел, глотает снег,
Смотрит грустно, дышит тяжко, –
Поработал человек.

Хорошо, друзья, приятно,
Сделав дело, ко двору –
В батальон идти обратно
Из разведки поутру.

По земле ступать советской,
Думать – мало ли о чем!
Автомат нести немецкий,
Между прочим, за плечом.

Come on, have some. I'll clench my teeth
and if you kill me, then
I'll cling like a flea and burrow beneath:
a dead man on your live skin.

I'll be there, always for you,
never will my shade ignore you.

What's that? Try to headbutt me?
That's not very gentlemanly!

Very well then!'
                                        Anger and pain
giving strength to his clenched fist,
Tyorkin took an unprimed hand grenade
and hit the Nazi in the face.

The Nazi sighed and fell and fainted ...

Tyorkin loosened his army collar;
Tyorkin sat and ate some snow,
and looked down sadly, a heavy breather –
he'd really worked the Nazi over.

It's a good feeling, ain't it, lads,
when you've done your work,
and go back to your pals and comrades
after a night out in the dark.

To walk across Soviet-held land
and think of nothing much,
with a German sub machine-gun
warming at your touch.

“Языка” – добычу ночи, –
Что идет, куда не хочет,
На три шага впереди
Подгонять:
– Иди, иди...

Видеть, знать, что каждый встречный-
Поперечный – это свой.
Не знаком, а рад сердечно,
Что вернулся ты живой.

Доложить про все по форме,
Сдать трофеи не спеша.
А потом тебя покормят, –
Будет мерою душа.

Старшина отпустит чарку,
Строгий глаз в нее кося.
А потом у печки жаркой
Ляг, поспи. Война не вся.

Фронт налево, фронт направо,
И в февральской вьюжной мгле
Страшный бой идет, кровавый,
Смертный бой не ради славы,
Ради жизни на земле.

Your prisoner, who may turn stoolie,
stumbles on three steps ahead,
pushed and prodded by yours truly:
'Come on, come on,
shake a leg ...'

And anyone you're like to meet
is definitely on your side.
They're happy you're back in one piece:
they may not know you, but they're glad.

You do the handover by the book,
unhurriedly hand your trophies over.
And then you're off to see the cook,
who'll help you to recover.

Your commander will sketch a frown,
authorise a ration of vodka.
And then you'll get to lie down
and sleep. The war's not over.

The front's to the left, the front's to the right,
and in the February snows
a terrible and bloody fight
not for glory, but for right
and human life continues.

От автора

Сто страниц минуло в книжке,
Впереди – не близкий путь.
Стой-ка, брат. Без передышки
Невозможно. Дай вздохнуть.

Дай вздохнуть, возьми в догадку:
Что теперь, что в старину –
Трудно слушать по порядку
Сказку длинную одну
Все про то же – про войну.

Про огонь, про снег, про танки,
Про землянки да портянки,
Про портянки да землянки,
Про махорку и мороз...

Вот уж нынче повелось:
Рыбаку лишь о путине,
Печнику дудят о глине,
Леснику о древесине,
Хлебопеку о квашне,
Коновалу о коне,
А бойцу ли, генералу –
Не иначе – о войне.

О войне – оно понятно,
Что война. А суть в другом:
Дай с войны прийти обратно
При победе над врагом.

Author's Note

A hundred and sixty-five pages done,
still a long journey to make.
Let's stop for a pause and a sit-down,
or we'll be knackered. Take a break.

Take a break and sum things up:
the same is true now as it was before –
it's hard to hear someone flap his trap
on and on for hours and hours
about one and the same thing: wars.

Stories about snow and fire and tanks,
shells and puttees, puttees and shells,
frost, tobacco, further tanks,
and always war and nothing else ...

Of course, that's just the way it goes:
the fisherman talks of rivers;
clay's the talk of potters,
and forests that of foresters;
bakers talk of pitas.
A groom will talk of crops and withers
and a general or a soldier
will talk of nothing else but war.

The only thing you need to know
about war is that it's ... war.
And as the soldier homeward goes
in victory, war's still there.

Учинив за все расплату,
Дай вернуться в дом родной
Человеку. И тогда-то
Сказки нет ему иной.

И тогда ему так сладко
Будет слушать по порядку
И подробно обо всем,
Что изведано горбом,
Что исхожено ногами,
Что испытано руками,
Что повидано в глаза
И о чем, друзья, покамест
Все равно – всего нельзя...

Мерзлый грунт долби, лопата,
Танк – дави, греми – граната,
Штык – работай, бомба – бей.
На войне душе солдата
Сказка мирная милей.

Друг-читатель, я ли спорю,
Что войны милее жизнь?
Да война ревет, как море,
Грозно в дамбу упершись.

Я одно скажу, что нам бы
Поуправиться с войной,
Отодвинуть эту дамбу
За предел земли родной.

А покуда край обширный
Той земли родной – в плену,
Я – любитель жизни мирной –
На войне пою войну.

When the war is good and over
the soldier heads back to his house,
and that's when he will find the war
is the gist of all his stories.

And then of course he's more than keen
to hear the way the service ran
and tell you how he spent the war
and tell you how he worked so hard,
and how his legs shivered and clapped
and how his hands were sore and chapped
and how he saw so many sights
that he would like to tell you but
the thought would keep you up at nights ...

Spade: sink in the soil!
Tank: roll over it all!
Bayonet: stab! Bomb: shatter!
But in a war the kind of tale
a soldier wants is a peaceful matter.

My friend, my reader, no one argues
that peace is kinder far than wartime.
But war is always there: it bellows
like the sea against a dam.

All I'll say is that we need
to deal with the war,
to push the dam back, spread more peace,
make life like it was before.

And while so much of Russia suffers
her cruel and captive harm
I – though I am a peace lover –
must sing war and war's alarms.

Что ж еще? И все, пожалуй,
Та же книга про бойца,
Без начала, без конца,
Без особого сюжета,
Впрочем, правде не во вред,

На войне сюжета нету,
– Как так нету?
– Так вот, нет.

Есть закон – служить до срока,
Служба – труд, солдат – не гость.
Есть отбой – уснул глубоко,
Есть подъем – вскочил, как гвоздь.

Есть война – солдат воюет,
Лют противник – сам лютует.
Есть сигнал: вперед!.. – Вперед.
Есть приказ: умри!.. – Умрет.

На войне ни дня, ни часа
Не живет он без приказа,
И не может испокон
Без приказа командира
Ни сменить свою квартиру,
Ни сменить портянки он.
Ни жениться, ни влюбиться
Он не может, – нету прав,
Ни уехать за границу
От любви, как бывший граф.

So, what comes next? More, I guess
of this our soldier's song,
without an end or a beginning,
without any particular plot.
That's how life is, you know.

Has war got a plot? It has not.
No plot at all?
That's right, no.

There's a rule: serve out your commission.
Service is hard and a soldier's no guest.
The trumpets sound: you're on a mission;
the trumpets sound: get up, get dressed.

In a war the lads fight hard:
if the enemy's tough, we're tougher.
The order: forward! We go forward.
The order: suffer! We suffer.

In war there's not a day or an hour
without a command or else an order,
and the rules decree you need permission
to change your boots or your position.
You need your commander's say-so
and can't appeal if he says no.
You can't get married, fall in love:
you haven't got the right.
You can't saddle your horse, go off
like some lovesick knight.

Если в песнях и поется,
Разве можно брать в расчет,
Что герой мой у колодца,
У каких-нибудь ворот,
Буде случай подвернется,
Чью-то долю ущипнет?

А еще добавим к слову;
Жив-здоров герой пока,
Но отнюдь не заколдован
От осколка-дурака,
От любой дурацкой пули,
Что, быть может, наугад,
Как пришлось, летит вслепую,
Подвернулся, – точка, брат.

Ветер злой навстречу пышет,
Жизнь, как веточку, колышет,
Каждый день и час грозя.
Кто доскажет, кто дослышит –
Угадать вперед нельзя,

И до той глухой разлуки,
Что бывает на войне,
Рассказать еще о друге
Кое-что успеть бы мне.

Тем же ладом, тем же рядом,
Только стежкою иной.

Пушки к бою едут задом, –
Это сказано не мной.

If, as happens in the stories,
one can steal another's luck,
let my hero live his days,
let my hero catch a break,
taking someone's share of glory:
their slice of the cake.

And we'll add that at the moment
Vasya Tyorkin's alive and well,
but he cannot be protected
from some stupid shrapnel shell
or an equally dumb bullet
coming from all over the shop
that might hit him – then he's had it.
Game over. *Finito*. Full stop.

There's a wicked wind that blows,
that bends life almost in two:
every hour a constant threat
and who will live and who will not
is not something we know.

But before the sad separation
that happens in a war
I would like to tell the nation
just a little more.

The same approach, same kind of rhymes,
different events, and different themes.

Cannons ride backwards to the fight –
I didn't say that, and it's not right.

«Кто стрелял?»

Отдымился бой вчерашний,
Высох пот, металл простыл.
От окопов пахнет пашней,
Летом мирным и простым.

В полверсте, в кустах – противник,
Тут шагам и пядям счет.
Фронт. Война. А вечер дивный
По полям пустым идет.

По следам страды вчерашней,
По немыслимой тропе;
По ничьей, помятой, зряшной
Луговой, густой траве;

По земле, рябой от рытвин,
Рваных ям, воронок, рвов,
Смертным зноем жаркой битвы
Опаленных у краев...

И откуда по пустому
Долетел, донесся звук,
Добрый, давний и знакомый
Звук вечерний. Майский жук!

И ненужной горькой лаской
Растревожил он ребят,
Что в росой покрытых касках
По окопчикам сидят,

'Who Fired?'

Yesterday's smoke has dissipated;
our sweat has dried; our guns have cooled.
From the trenches comes a scent,
the simple smell of a summer field.

Half a click over, in the trees,
the enemy sits: no side will yield.
The front. The war. But evening ease
comes across the empty fields.

Over the traces of yesterday's fight,
over the unplanned paths,
over the unowned, crushed and bent,
thick meadow grass,

over the ground that's torn by wheels,
the craters, the tunnels, the ditches,
over it all, the heated struggle:
the ground scorched to its edges ...

From who knows where, superfluous,
there came a well-known sound:
the friendly, ancient, comforting buzz
of a May-bug on the wind.

And its generous bitter hum
stirred all the lads who listened,
sitting in their dugouts dim
with the dew falling on their helmets.

И такой тоской родною
Сердце сразу обволок!

Фронт, война. А тут иное:
Выводи коней в ночное,
Торопись на "пятачок".

Отпляшись, а там сторонкой
Удаляйся в березняк,
Провожай домой девчонку
Да целуй – не будь дурак,
Налегке иди обратно,
Мать заждалася...

И вдруг –
Вдалеке возник невнятный,
Новый, ноющий, двукратный,
Через миг уже понятный
И томящий душу звук.

Звук тот самый, при котором
В прифронтовой полосе
Поначалу все шоферы
Разбегались от шоссе.

На одной постылой ноте
Ноет, воет, как в трубе.
И бежать при всей охоте
Не положено тебе.

Ты, как гвоздь, на этом взгорке
Вбился в землю. Не тоскуй.
Ведь – согласно поговорке –
Это малый сабантуй...

And such a native melancholy
suddenly coated their hearts!

The front, the war. But thoughts still stray:
to settle the horses for the night,
then hurry to a local rout.

To dance until you're tired, then stroll
off to one side, through the birches,
back to the house of your best girl;
don't be a fool, give her a kiss,
and then head home, walking on air:
your mother's waiting ...

Suddenly –
an unknown sound, unclear,
new, aching, foolish ... *here*,
and in a moment your mind's clear
and you know what it must be.

The same sound that once sent the drivers
on the road down to the front
scattering from the road for cover
when it came by: a fearful sound.

A single note, sustained and dull
like a pipe blown by the wind.
And though you want to drop it all
and run away, that's not allowed.

Your job now is, like a nail,
to hit the deck, just drop straight down.
You've been here already. You know the drill:
it's just a little bit of fun ...

Ждут, молчат, глядят ребята,
Зубы сжав, чтоб дрожь унять.
И, как водится, оратор
Тут находится под стать.

С удивительной заботой
Подсказать тебе горазд:
– Вот сейчас он с разворота
И начнет. И жизни даст,
Жизни даст!

Со страшным ревом
Самолет ныряет вниз,
И сильнее нету слова
Той команды, что готова
На устах у всех;
– Ложись!..

Смерть есть смерть. Ее прихода
Все мы ждем по старине.
А в какое время года
Легче гибнуть на войне?

Летом солнце греет жарко,
И вступает в полный цвет
Все кругом. И жизни жалко
До зарезу. Летом – нет.

В осень смерть под стать картине,
В сон идет природа вся.
Но в грязи, в окопной глине
Вдруг загнуться? Нет, друзья...

The lads all wait in stony silence,
teeth all clenched to stop their chatter,
then, as always, one stable genius
chooses the time to have a natter.

He's overwhelmingly concerned
that everyone should know he's bright:
'Look, he's going to make his turn,
and then he'll start. And then, good night!'
Good night!

With a terrible roar
the aeroplane heads down,
and there are no words you hear
apart from the eternal order
on everyone's lips:
'Get down!'

Death is death. We wait its coming
just the same as we ever did.
But tell me, what's the better season
of the year to end up dead?

In summertime the sun shines warm,
and you can walk in sunlight
wherever you go. It would be a shame
to die then. So, summer: *nyet*.

In autumn death seems much more likely,
as all of nature heads to sleep.
But to die so suddenly
in all that mud? It seems so bleak.

А зимой – земля, как камень,
На два метра глубиной,
Привалит тебя комками, – ,
Нет уж, ну ее – зимой.

А весной, весной... Да где там,
Лучше скажем наперед:
Если горько гибнуть летом,
Если осенью – не мед,
Если в зиму дрожь берет,
То весной, друзья, от этой
Подлой штуки – душу рвет.

И какой ты вдруг покорный
На груди лежишь земной,
Заслонясь от смерти черной
Только собственной спиной.

Ты лежишь ничком, парнишка
Двадцати неполных лет.
Вот сейчас тебе и крышка,
Вот тебя уже и нет.

Ты прижал к вискам ладони,
Ты забыл, забыл, забыл,
Как траву щипали кони,
Что в ночное ты водил.

Смерть грохочет в перепонках,
И далек, далек, далек
Вечер тот и та девчонка,
Что любил ты и берег.

In winter, earth is like a stone:
hard quite six feet deep,
and though they cover your poor bones
with clods of earth? Not winter, please.

But spring, ah spring ... let's say it clear
and get it out of the way:
if it hurts to die in summer,
and autumn's not a piece of cake,
and death in winter makes you shiver,
then spring's the worst of paths to take.
It rips your soul. A killing joke.

Now the order sounds out, sudden:
you drop to the ground on your face,
with only your own back between
you and a terrible death.

You lie spread flat, little more than a kid,
a lad who's not yet twenty.
But here it comes, and now you're dead
as though you'd never been.

You pressed your palms to the side of your head
and began to forget, forget, forget
how the horses champed the grasses
when you set them at night to graze.

Death is growling in your ears
and she disappears, disappears, disappears,
the girl you were with one summer night
as the sky faded, then flooded with light.

И друзей и близких лица,
Дом родной, сучок в стене...
Нет, боец, ничком молиться
Не годится на войне.

Нет, товарищ, зло и гордо,
Как закон велит бойцу,
Смерть встречай лицом к лицу,
И хотя бы плюнь ей в морду,
Если все пришло к концу...

Ну-ка, что за перемена?
То не шутки – бой идет.
Встал один и бьет с колена
Из винтовки в самолет.

Трехлинейная винтовка
На брезентовом ремне,
Да патроны с той головкой,
Что страшна стальной броне.

Бой неравный, бой короткий,
Самолет чужой, с крестом,
Покачнулся, точно лодка,
Зачерпнувшая бортом.

Накренясь, пошел по кругу,
Кувыркается над лугом, –
Не задерживай – давай,
В землю штопором въезжай!

Сам стрелок глядит с испугом:
Что наделал невзначай.

And your friends and the people you love,
the house you were born in, its rough wooden walls ...
No, soldier, whatever prayer you're thinking of
won't help you the slightest in a war.

No, my comrade. Proud and wicked
are the laws by which war runs:
meet death steady, stick to your guns,
spit in his face when you get the chance,
but the end is coming, and you know it comes.

But what ... but what new facts are these?
I'm not joking: now we fight.
Someone's clambered to his knees,
unshipped his rifle, shot after shot.

A normal rifle, normal calibre,
in a normal canvas sling,
but with bullets that go through armour,
that will go through anything.

A short and an uneven war:
the enemy plane with its cross on show
twisted, then began to fall
like a sinking boat.

It banked and shifted in the sky,
somersaulted, banked and turned –
come on, quickly, don't be shy:
plough headfirst into the ground!

The man who'd fired the shot stood dumb:
what on earth had he gone and done?

Скоростной, военный, черный,
Современный, двухмоторный –
Самолет – стальная снасть –
Ухнул в землю, завывая,
Шар земной пробить желая
И в Америку попасть.

– Не пробил, старался слабо.
– Видно, место прогадал.

– Кто стрелял? – звонят из штаба, –
Кто стрелял, куда попал?

Адъютанты землю роют,
Дышит в трубку генерал.

– Разыскать тотчас героя,
Кто стрелял?
А кто стрелял?

Кто не спрятался в окопчик,
Поминая всех родных,
Кто он – свой среди своих –
Не зенитчик и не летчик,
А герой – не хуже их?

Вот он сам стоит с винтовкой,
Вот поздравили его.
И как будто всем неловко –
Неизвестно отчего.

Rapid, black and military,
in its modern, twin-engined finery,
the aeroplane, a steel net,
plunged to earth with a howl and a roar
seeking to drill through the Earth's core
and shoot through to Tibet.

'He didn't make it. What a loser.'
'The marksman wasn't very good.'

'Who fired?' comes the call from headquarters.
'Who fired that shot? Who fired?'

The adjutants like headless chickens;
the general breathing down the line.

'Find that hero now, at once!
Who fired?
    Where is that man?'

A man who didn't hide in a trench,
and sob goodbye to his family;
a man who stood among his men –
no crack shot or marksman he,
but does a hero have to be?

He stands there with his rifle
as congratulations ring.
And he seems ashamed, a little,
doesn't understand a thing.

Виноваты, что ль, отчасти?
И сказал сержант спроста:
– Вот что значит парню счастье,
Глядь – и орден, как с куста!

Не промедливши с ответом,
Парень сдачу подает:
– Не горюй, у немца этот –
Не последний самолет...

С этой шуткой-поговоркой,
Облетевшей батальон,
Перешел в герои Теркин, –
Это был, понятно, он.

And the others, are they guilty?
The sergeant speaks his mind:
'Now that's what I call lucky!
Take all the medals you can find.'

And the soldier comes back smartly,
shows the sarge a flash of wit:
'Don't be sad: you know the Nazis
have more planes that you can hit ...'

And that little funny saying
ran the whole batallion through,
and everyone was proud of Tyorkin –
for it was him, as of course you knew.

О герое

– Нет, поскольку о награде
Речь опять зашла, друзья,
То уже не шутки ради
Кое-что добавлю я.

Как-то в госпитале было.
День лежу, лежу второй.
Кто-то смотрит мне в затылок,
Погляжу, а то – герой.

Сам собой, сказать, – мальчишка,
Недолеток-стригунок.
И мутит меня мыслишка:
Вот он мог, а я не мог...

Разговор идет меж нами,
И спроси я с первых слов:
– Вы откуда родом сами –
Не из наших ли краев?

Смотрит он:
– А вы откуда? –
Отвечаю:
– Так и так,
Сам как раз смоленский буду,
Может, думаю, земляк?

Аж привстал герой:
– Ну что вы,
Что вы, – вскинул головой, –
Я как раз из-под Тамбова, –
И потрогал орден свой.

Hero

'Given that the conversation's
round to medals once again
I'd like to make a contribution;
and not in jest, a serious one.

I once was in the hospital,
stuck for a day, or maybe two.
Someone staring at my skull:
I turned around and saw a hero.

A real one, a youngish lad,
a shaven-headed kid.
And a thought within my head:
I didn't make it, and he did.

We chatted for a little bit,
and I was the first to ask:
"Tell me, where are you from, kid?
You're not from round these parts."

He looked at me:
"So where are *you* from?"
And I answered:
"Here and there,
Smolensk might be the nearest town:
maybe you're also from there?"

The hero half stood up, and said:
"No, what are you like, man?
I'm from down by Tambov, lad,"
and jangled his medallions.

И умолкнул. И похоже,
Подчеркнуть хотел он мне,
Что таких, как он, не может
Быть в смоленской стороне;

Что уж так они вовеки
Различаются места,
Что у них ручьи и реки
И сама земля не та,
И полянки, и пригорки,
И козявки, и жуки...

И куда ты, Васька Теркин,
Лезешь сдуру в земляки!

Так ли, нет – сказать, – не знаю,
Только мне от мысли той
Сторона моя родная
Показалась сиротой,
Сиротинкой, что не видно
На народе, на кругу...

Так мне стало вдруг обидно, –
Рассказать вам не могу.

Это да, что я не гордый
По характеру, а все ж
Вот теперь, когда я орден
Нацеплю, скажу я: врешь!

Мы в землячество не лезем,
Есть свои у нас края.
Ты – тамбовский? Будь любезен.
А смоленский – вот он я.

He shut his mouth. It was as if
he only wanted to show me
that kids like him, in real life,
were never from down Smolensk way.

And that the two places forever
had been different as can be,
that their streams and little rivers
weren't the same, their forestry,
the very land was not the same,
not the maybugs, not the beetles ...

Tyorkin, yeah, what was your game,
trying to make everyone "your people"!

I dunno if that was my aim,
but it was just to me as if
my native land, my only home
were suddenly bereft of life,
lifeless, as if all my folks
mattered little, meant even less ...

I can't even put it as a joke:
it just left me in distress.

I'm not proud, I'm really not,
but when the time comes to pin
a medal to my army coat
I'll say: "Now that shows him!"

It's not just random where we come from,
Each man has his 'hood.
You're from Tambov? Well, you're welcome.
And I'm from Smolensk, and that's good.

Не иной какой, не энский,
Безымянный корешок,
А действительно смоленский,
Как дразнили нас, рожок.

Не кичусь родным я краем,
Но пройди весь белый свет –
Кто в рожки тебе сыграет
Так, как наш смоленский дед.

Заведет, задует сивая
　　Лихая борода:
Ты куда, моя красивая,
　　Куда идешь, куда ...

И ведет, поет, заяривает –
　　Ладно, что без слов,
Со слезою выговаривает
　　Радость и любовь.

И за ту одну старинную
　　За музыку-рожок
В край родной дорогу длинную
　　Сто раз бы я прошел.

Мне не надо, братцы, ордена,
　　Мне слава не нужна,
А нужна, больна мне родина,
　　Родная сторона!

I'm not just some guy, a cipher, an X,
there to make up numbers, nameless;
I'm a real man, really from Smolensk,
with our local customs and vices.

I'm not boasting about my home,
but wherever you may trek
you'll never hear a better song
than those of old Smolensk.

Sing your song and play your tune
    and wag your old man's beard:
"Where are you wandering, my pretty one,
    where do you roam and tread ..."

The piper plays both slow and quickly –
    he needs no words to say,
but makes the tears flow fast and freely
    in a whirl of love and joy.

And for this one old-time tune,
    the songs of where I'm from,
I'd leave it all and hurry down
    to the place that I call home.

No, lads, I don't need any gong,
    I don't need any glory:
what I need's my homeland's song,
    the songs of my own country.

Генерал

Заняла война полсвета,
Стон стоит второе лето.
Опоясал фронт страну.
Где-то Ладога... А где-то
Дон – и то же на Дону...

Где-то лошади в упряжке
В скалах зубы бьют об лед...
Где-то яблоня цветет,
И моряк в одной тельняшке
Тащит степью пулемет...

Где-то бомбы топчут город,
Тонут на море суда...
Где-то танки лезут в горы,
К Волге двинулась беда...

Где-то будто на задворке,
Будто знать про то не знал,
На своем участке Теркин
В обороне загорал.

У лесной глухой речушки,
Что катилась вдоль войны,
После доброй постирушки
Поразвесил для просушки
Гимнастерку и штаны.

На припеке обнял землю.
Руки выбросил вперед
И лежит и так-то дремлет,
Может быть, за целый год.

The General

The war has taken half the world,
and is in its second summer.
The front has torn the land asunder.
Ladoga is over there ...
And the Don is out there somewhere ...

Somewhere horses slip on ice
and fall and break their teeth ...
Somewhere blooms an apple-tree
and a sailor in a sailor's vest
hauls a gun across a heath ...

Somewhere ships sink into the ocean;
somewhere bombs assail a city;
somewhere tanks crawl up a mountain;
and down to the Volga the war makes its way ...

And somewhere, as though in his garden,
as though he'd never heard of fighting,
sitting with his regiment, Tyorkin
let the time slip by.

In a rippling forest river,
along the battle's boundary,
after scrubbing his clothes all over,
Tyorkin's hung them out to dry:
his uniform and his trousers.

He hugs the ground in the warmest spot,
his arms and hands flung clear.
And there he lies in sleepy thought,
and could do for a year.

И речушка – неглубокий
Родниковый ручеек –
Шевелит травой-осокой
У его разутых ног.

И курлычет с тихой лаской,
Моет камушки на дне.
И выходит не то сказка,
Не то песенка во сне.

Я на речке ноги вымою.
    Куда, реченька, течешь?
В сторону мою, родимую,
    Может, где-нибудь свернешь.

Может, где-нибудь излучиной
    По пути зайдешь туда,
И под проволокой колючею
    Проберешься без труда,

Меж немецкими окопами,
    Мимо вражеских постов,
Возле пушек, в землю вкопанных,
    Промелькнешь из-за кустов.

И тропой своей исконною
    Протечешь ты там, как тут,
И ни пешие, ни конные
    На пути не переймут,

Дотечешь дорогой кружною
    До родимого села.
На мосту солдаты с ружьями,
    Ты под мостиком прошла,

And the little shallow river,
the stream that flows so sweet,
rustles the sedge-grass at the soldier's
stretched-out bare feet.

It caws so calm and sweetly,
and washes the stones of its bed.
And something that's not quite a story
or a song rises in the man's head.

I'll wash my feet in the stream.
        River, where are you flowing?
Back to my country, my home,
        maybe that's where you are going.

Maybe as you curve and veer
        you'll take yourself back where I dwell;
you'll make your own way there
        passing barbed wire with no trouble,

through the Nazi trenches,
        past the enemy guardposts,
past the cannons, the dug-up earth,
        you'll flow through the undergrowth.

And you'll make your timeless way
        home as you always do,
and neither footsoldiers nor cavalry
        will turn you or transform you,

and you will flow your winding path
        back to the village I love.
You'll flow under the old stone bridge
        with the soldiers standing above,

Там печаль свою великую,
Что без края и конца,
Над тобой, над речкой, выплакать,
Может, выйдет мать бойца.

Над тобой, над малой речкою,
Над водой, чей путь далек,
Послыхать бы хоть словечко ей,
Хоть одно, что цел сынок.

Помороженный, простуженный
Отдыхает он, герой,
Битый, раненый, контуженный,
Да здоровый и живой...

Теркин – много ли дремал он,
Землю-мать прижав к щеке, –
Слышит:
– Теркин, к генералу
На одной давай ноге.

Посмотрел, поднялся Теркин,
Тут связной стоит,
– Ну что ж,
Без штанов, без гимнастерки
К генералу не пойдешь.

Говорит, чудит, а все же
Сам, волнуясь и сопя,
Непросохшую одежу
Спешно пялит на себя.
Приросла к спине – не стронет...

and maybe coming to ease her pain,
        her pain with no edge or border,
the soldier's mother will come to the spring
        to cry for her son the soldier.

And she'll stand by you, little river,
        the water that comes from far away,
to hear some news of her son the soldier,
        is he alright? Is he OK?

And yes, he's cold, he's been half frozen,
        your son who relaxes now,
and yes, he's been concussed and beaten,
        but he's alive, and good to go ...

Tyorkin's drifted off a bit,
his cheek pillowed on the soil,
but now he hears:
'Tyorkin, get your kit,
you're to go to the general.'

Tyorkin looked around, sat up,
and saw the messenger:
'Hang on,
I can't go all the way to the top
without my shirt or trousers on.'

He's chatting, laughing, but all the same,
he's on edge and breathing hard,
he takes his half-dry uniform
and quickly struggles into it.
It clings to him and won't lie flat ...

– Теркин, сроку пять минут.
– Ничего. С земли не сгонят,
Дальше фронта не пошлют.

Подзаправился на славу,
И хоть знает наперед,
Что совсем не на расправу
Генерал его зовет, –
Все ж у главного порога
В генеральском блиндаже –
Был бы бог, так Теркин богу
Помолился бы в душе.

Шутка ль, если разобраться:
К генералу входишь вдруг, –
Генерал – один на двадцать,
Двадцать пять, а может статься,
И на сорок верст вокруг.

Генерал стоит над нами, –
Оробеть при нем не грех, –
Он не только что чинами,
Боевыми орденами,
Он годами старше всех.

Ты, обжегшись кашей, плакал,
Ты пешком ходил под стол,
Он тогда уж был воякой,
Он ходил уже в атаку,
Взвод, а то и роту вел.

'Tyorkin, hurry up, come on.'
'Mate, don't worry about it,
not like they can send me to the front.'

But he makes sure he brushes up well,
although he knows in advance
that he's not being called to the general
to be given a kick in the pants:
though, as he comes to the open door
of the general's main abode
Tyorkin mutters a little prayer –
or would, if there were a God.

It's no joke, if you think on it:
when the general calls you in –
generals are not so common:
this may be the only one
in a twenty or forty mile circuit.

The general stands above us all –
if you feel shy then it's no sin –
he's not only got more medals,
more experience, more promotions ...
he's also older than us all.

You were choking on your porridge,
you were learning how to walk alone,
when he was already full of courage,
heading into the cannon's rage
leading his own battalion.

И на этой половине –
У передних наших линий,
На войне – не кто как он
Твой ЦК и твой Калинин.
Суд. Отец. Глава. Закон.

Честью, друг, считай немалой,
Заработанной в бою,
Услыхать от генерала
Вдруг фамилию свою.

Знай: за дело, за заслугу
Жмет тебе он крепко руку
Боевой своей рукой.

– Вот, брат, значит, ты какой.
Богатырь. Орел. Ну, просто –
Воин! – скажет генерал.

И пускай ты даже ростом
И плечьми всего не взял,
И одет не для парада, –
Тут война – парад потом, –
Говорят: орел, так надо
И глядеть и быть орлом.

Стой, боец, с достойным видом,
Понимай, в душе имей:
Генерал награду выдал –
Как бы снял с груди своей –
И к бойцовской гимнастерке
Прикрепил немедля сам,
И ладонью:
– Вот, брат Теркин, –
По лихим провел усам.

Here at the front, that's how we see him:
there's no one like him in the war.
He's our Central Committee, our Kalinin,
he's our Stalin and our Lenin.
Our judge. Our father. Our boss. The law.

You must believe it's no small honour
earned among cannons and tanks
when the general addresses a soldier
by his name instead of his rank.

Or else, to thank you for your service
even though he sees you're nervous,
he clasps you firmly by the hand.

'So, you're the man ... under my command!
The warrior. The mighty hawk.
The true Soviet soldier!' the general says.

You can't believe, to hear him talk,
that you're the man under his gaze:
your shoulders are scrawny, knees are weak,
you're scruffy, skinny, rather worn –
but if he says that you're a hawk
you'd better look and act like one.

Stand up, soldier, look the part,
take it all into your soul:
how, as though it were his heart,
the general gave you your medal –
and pinned it neatly to your breast,
swiftly, without too much talking,
and then (and this part is the best)
gave you his hand:
'Well done, Tyorkin.'

В скобках надобно, пожалуй,
Здесь отметить, что усы,
Если есть у генерала,
То они не для красы.

На войне ли, на параде
Не пустяк, друзья, когда
Генерал усы погладил
И сказал хотя бы:.
– Да...

Есть привычка боевая,
Есть минуты и часы...
И не зря еще Чапаев
Уважал свои усы.

Словом – дальше. Генералу
Показалось под конец,
Что своей награде мало
Почему-то рад боец.

Что ж, боец – душа живая,
На войне второй уж год...
И не каждый день сбивают
Из винтовки самолет.

Молодца и в самом деле
Отличить расчет прямой.

– Вот что, Теркин, на неделю
Можешь с орденом – домой...

The General then stroked his moustache,
and, we should point out, hair to stroke,
when on a general's visage,
is not just there for beauty's sake.

In a battle, while parading,
it's still means something, if he reaches
a hand up to his soup-strainer
and says something, even if only:
'Yes ...'

It's a fact of army life:
every movement or gesture matters ...
Not for nothing did old Chapayev
care for his magnificent whiskers.

But let's go on. The general
had said his part, and seemed to see
that the simple award of a medal
did not make Tyorkin all that happy.

It's natural, he's only human,
the war's been going for years and all ...
Not every day that you shoot down a plane
with nothing more than a rifle.

He's a good lad, in any case,
and could do with a little poke.

'Hey Tyorkin, take a couple of days
with your medal to see your folks ...'

Теркин – понял ли, не понял,
Иль не верит тем словам?
Только дрогнули ладони
Рук, протянутых по швам.

Про себя вздохнув глубоко,
Теркин тихо отвечал:
– На неделю мало сроку
Мне, товарищ генерал ...

Генерал склонился строго:
– Как так мало? Почему?
– Потому – трудна дорога
Нынче к дому моему.
Дом-то вроде недалечко,
По прямой – пустяшный путь...

– Ну а что ж?
– Да я не речка;
Чтоб легко туда шмыгнуть.
Мне по крайности вначале
Днем соваться не с руки.
Мне идти туда ночами,
Ну, а ночи коротки...

Генерал кивнул:
– Понятно!
Дело с отпуском – табак. –
Пошутил:
– А как обратно
Ты пришел бы?..
– Точно ж так...

Tyorkin: did he understand or not,
or was he maybe confounded?
His arms at attention shook a bit
along the seams of his trousers.

He gave a sigh and breathed in deeply,
then answered with a little smile:
'A week wouldn't be enough for me
to get there, my general.'

The general leaned in, frowning grimly:
'What d'you mean? Asking for more?'
'No, it's just the way's got tricky
back to my old front door.
As the crow flies it's not that far,
along the best, straightforward way ...'

'Well then?'
'Well, I'm not a river,
to get there unobtrusively.
It wouldn't really be worth my while
to try to make it back by daylight.
I'd have to go over all these miles
by night, and the nights are short ...'

The general nodded:
'I get you now!
I'm not really offering you a holiday.'
And then he smiled:
'Could you tell me how
you'd get back?'
'Well, here's the way ...

Сторона моя лесная,
Каждый кустик мне – родня.
Я пути такие знаю,
Что поди поймай меня!
Мне там каждая знакома
Борозденка под межой.
Я – смоленский. Я там дома.
Я там – свой, а *он* – чужой.

– Погоди-ка. Ты без шуток.
Ты бы вот что мне сказал...

И как будто в ту минуту
Что-то вспомнил генерал.
На бойца взглянул душевней
И сказал, шагнув к стене:
– Ну-ка, где твоя деревня?
Покажи по карте мне.

Теркин дышит осторожно
У начальства за плечом.

– Можно, – молвит, – это можно.
Вот он Днепр, а вот мой дом.
Генерал отметил точку.
– Вот что, Теркин, в одиночку
Не резон тебе идти.
Потерпи уж, дай отсрочку,
Нам с тобою по пути...

Отпуск точно, аккуратно
За тобой прошу учесть.

The forests all around my house –
I know them, every leaf.
And I can travel round about
as quiet as any thief!
I know every single furrow
cut in the Russian loam.
I'm from Smolensk; I am not foreign.
They're the invaders; this is my home.'

'Well, well, well. You're really not kidding.
So maybe you could help me out ...'

And just as if he'd had a sudden
useful military thought,
the general smiled at the soldier
and said, as he walked to the map:
'Can you point out your village here?
Where is it? Be a good chap.'

Tyorkin sighed with cautious thought
and glanced back at the bigwigs.

'Yes, I think ... I think I ought ...
Yes, here's the Dnepr, and ... here it is.'
The general made a little mark.
'Look here, Tyorkin, you alone
shouldn't really head off home.
Wait a bit and the whole battalion
will be glad to see you back ...

You may need to wait a bit
but you'll get your leave in turn.'

И боец сказал:
– Понятно.-
И еще добавил:
– Есть.

Встал по форме у порога,
Призадумался немного,
На секунду на одну...

Генерал усы потрогал
И сказал, поднявшись:
– Ну?..

Скольких он, над картой сидя,
Словом, подписью своей,
Перед тем в глаза не видя,
Посылал на смерть людей!

Что же, всех и не увидишь,
С каждым к росстаням не выйдешь,
На прощанье всем нельзя
Заглянуть тепло в глаза.

Заглянуть в глаза, как другу,
И пожать покрепче руку,
И по имени назвать,
И удачи пожелать,
И, помедливши минутку,
Ободрить старинной шуткой:
Мол, хотя и тяжело,
А, между прочим, ничего...

And the soldier said:
'I get it.'
And then he added:
'Sir.'

He stood to attention by the door,
and thought to himself a little more
just to get under control ...

The general stroked his whiskers
and said, as he stood up:
'Well ...?'

How many generals, sitting at their maps,
have, with a word or a signature,
sent away hordes of anonymous chaps
to die in some stupid war!

So what? You can't see all of them,
you can't say farewell to your men,
you can't shake their hand as you say goodbye
and look them firmly in the eye.

Look in their eye, like a friend,
and grip them warmly by the hand,
and call them by their proper name
and wish them luck.
And delay the last farewell
with chatter, talk, some large, some small,
a sign you really wish them well,
a terrible old joke ...

Нет, на всех тебя не хватит,
Хоть какой ты генерал.

Но с одним проститься кстати
Генерал не забывал.

Обнялись они, мужчины,
Генерал-майор с бойцом, –
Генерал – с любимым сыном,
А боец – с родным отцом.

И бойцу за тем порогом
Предстояла путь-дорога
На родную сторону,
Прямиком – через войну.

No, there's no general alive
who can say enough goodbyes.

But this time, with this one man,
the general did all he can.

They leaned in and embraced each other –
the general and the enlisted man.
The soldier hugged his own dear father;
the general hugged his favourite son.

And beyond the wooden door
the path lay Tyorkin before,
the path back to his home so dear,
the direct path: straight through the war.

О себе

Я покинул дом когда-то,
Позвала дорога вдаль.
Не мала была утрата,
Но светла была печаль.

И годами с грустью нежной –
Меж иных любых тревог –
Угол отчий, мир мой прежний
Я в душе моей берег.

Да и не было помехи
Взять и вспомнить наугад
Старый лес, куда в орехи
Я ходил с толпой ребят.

Лес – ни пулей, ни осколком
Не пораненный ничуть,
Не порубленный без толку,
Без порядку как-нибудь;
Не корчеванный фугасом,
Не поваленный огнем,
Хламом гильз, жестянок, касок
Не заваленный кругом;
Блиндажами не изрытый,
Не обкуренный зимой,
Ни своими не обжитый,
Ни чужими под землей.

About Myself

I left my home some time ago
with the wide world calling.
It was no very little that I let go,
but the pain is healing.

And through the years with tender pain –
and many another trouble –
I've kept my former life and home
within my soul.

And it was never very hard
to bring to my mind from nothing
those memories, that ancient wood
where I and my friends went a-nutting.

Wood that had not been torn back then
by bullets or by shrapnel,
wood that still stood and that wicked men
had not torn down to rubble;
wood where stumps weren't cleared by bombs
or high explosive charges,
wood where cans and helmets weren't thrown,
wood not scarred with trenches,
wood not burnt to heat the troops,
wood not a source of plunder,
wood without our soldiers grouped,
or theirs grouped six feet under.

Милый лес, где я мальчонкой
Плел из веток шалаши,
Где однажды я теленка,
Сбившись с ног, искал в глуши...

Полдень раннего июня
Был в лесу, и каждый лист,
Полный, радостный и юный,
Был горяч, но свеж и чист.

Лист к листу, листом прикрытый,
В сборе лиственном густом
Пересчитанный, промытый
Первым за лето дождем.

И в глуши родной, ветвистой,
И в тиши дневной, лесной
Молодой, густой, смолистый,
Золотой держался зной.

И в спокойной чаще хвойной
У земли мешался он
С муравьиным духом винным
И пьянил, склоняя в сон.

И в истоме птицы смолкли...
Светлой каплею смола
По коре нагретой елки,
Как слеза во сне, текла...

Мать-земля моя родная,
Сторона моя лесная,
Край недавних детских лет,
Отчий край, ты есть иль нет?

The sweet little wood, where I as a boy
made shelters of branches and leaves,
where I hunted a calf that had run away
into the depths of the trees ...

One midday in early June
I was in the forest, and every leaf,
so full, so joyous and so young,
was fresh and clean and warm with love.

Leaf on leaf, covered with leaves,
in a thick and leafy grouping,
counted over and washed clean
by the first summer rain.

And within this branchy home,
in the calm and wooded dark,
young and thick, the resin came
as gold and dense as tar.

And in the peaceful stand of firs
there mingled with the smell of resin
the winey smell of the anthills
that made me drowsy and drunk.

And all the birds were sleeping, silent ...
And down the warm bark of a fir
a single bright drop of resin
flowed like a sleeping tear ...

My dearest one, my country-mother,
my forest homeland,
the holder of my childhood years,
are you still there, somewhere beyond?

Детства день, до гроба милый,
Детства сон, что сердцу свят,
Как легко все это было
Взять и вспомнить год назад.

Вспомнить разом что придется –
Сонный полдень над водой,
Дворик, стежку до колодца,
Где песочек золотой;
Книгу, читанную в поле,
Кнут, свисающий с плеча,
Лед на речке, глобус в школе
У Ивана Ильича...

Да и не было запрета,
Проездной купив билет,
Вдруг туда приехать летом,
Где ты не был десять лет...

Чтобы с лаской, хоть не детской,
Вновь обнять старуху мать,
Не под проволокой немецкой
Нужно было проползать.

Чтоб со взрослой грустью сладкой
Праздник встречи пережить –
Не украдкой, не с оглядкой
По родным лесам кружить.

Чтоб сердечным разговором
С земляками встретить день –
Не нужда была, как вору,
Под стеною прятать тень...

A childhood dream the heart holds close,
childhood days, clasped tight and dear:
how easy to remember those
until last year, that fateful year.

A memory comes swimming back –
sitting by the water, a sleepy afternoon,
a courtyard, the well-trodden track
to the well, and the golden sand;
or else your book, face-down on the floor,
as the ice on the river floats;
the lash you carried over your shoulder;
Ivan Ilych's school with its globe ...

It's never been forbidden in any way
for you to buy a ticket
and suddenly head home one day
after ten years out ...

So that you can hold, hold tightly
your dear old mother,
with no need to struggle grimly
under the Nazi wire.

No need for you with grown-up sadness
to tremble at the thought of meeting –
or to hide, looking over your shoulders
as through your own dear woods you creep.

To have a heartfelt conversation
with your fellow villagers,
without the need to creep furtively
along the shadow by the walls.

Мать-земля моя родная,
Сторона моя лесная,
Край, страдающий в плену!
Я приду – лишь дня не знаю,
Но приду, тебя верну.

Не звериным робким следом
Я приду, твой кровный сын, –
Вместе с нашею победой
Я иду, а не один.

Этот час не за горою,
Для меня и для тебя...

А читатель той порою
Скажет:
– Где же про героя?
Это больше про себя.

Про себя? Упрек уместный,
Может быть, меня пресек.

Но давайте скажем честно!.
Что ж, а я не человек?,

Спорить здесь нужды не вижу,
Сознавайся в чем в другом.
Я ограблен и унижен,
Как и ты, одним врагом.

Oh my darling motherland,
my wooded piece of home,
my country, under another's yoke!
I know not when, but I will return,
I am faithful to you till the end.

Not like a frightened forest beast
will I return, your native son –
I will come back when we're victorious;
I will come back, and not alone.

Yes, that hour is nearing us,
both me and you ...

But now the reader interrupts,
says:
'What about our hero?
You're just talking about you.'

About myself? Yes you're right,
just what I was about to say.

But let's not tell ourselves lies!
Aren't I a man, like anybody?

There's no need for us to argue,
our needs are similar, I can see.
I have been forced down and hurt, too,
just like you, by the same enemy.

Я дрожу от боли острой,
Злобы горькой и святой.
Мать, отец, родные сестры
У меня за той чертой.
Я стонать от боли вправе
И кричать с тоски клятой.
То, что я всем сердцем славил
И любил – за той чертой.

Друг мой, так же не легко мне,
Как тебе с глухой бедой.
То, что я хранил и помнил,
Чем я жил – за той, за той –
За неписаной границей,
Поперек страны самой,
Что горит, горит в зарницах
Вспышек – летом и зимой...

И скажу тебе, не скрою, –
В этой книге, там ли, сям,
То, что молвить бы герою,
Говорю я лично сам.
Я за все кругом в ответе,
И заметь, коль не заметил,
Что и Теркин, мой герой,
За меня гласит порой.
Он земляк мой и, быть может,
Хоть нимало не поэт,
Все же как-нибудь похоже
Размышлял. А нет, ну – нет.

Теркин – дальше. Автор – вслед.

There's a bitter pain that makes me shudder
a holy, bitter rage.
My mother, my father, my two sisters
are stuck across the way.
I'd be right to groan with agony
and swear and cry with grief.
Everything in the world that's dear to me
is there, everything I love.

My friend, you're in pain just like me;
I've been hit just as hard.
Everything that lived in my memory –
that made me live, that I lived for –
it's all beyond that invisible border
that crosses the land itself,
where there is fire, is fire all over
in the winter and summer months ...

And let me tell you, plain as speaking,
in this book now, here and there,
I'll say things that maybe Tyorkin
could've said himself: there's things we share.
All that I have is what the world owes,
and you'll know, as the world knows,
that sometimes Tyorkin, my hero,
will speak in my own voice.
He's my countryman, and though
he's not really the poetic sort,
sometimes he may let something through
a bit like poetry. Or not.

The author follows. Tyorkin leads.

Бой в болоте

Бой безвестный, о котором
Речь сегодня поведем,
Был, прошел, забылся скоро...
Да и вспомнят ли о нем?

Бой в лесу, в кустах, в болоте,
Где война стелила путь,
Где вода была пехоте
По колено, грязь – по грудь;

Где брели бойцы понуро,
И, скользнув с бревна в ночи,
Артиллерия тонула,
Увязали тягачи.

Этот бой в болоте диком
На втором году войны
Не за город шел великий,
Что один у всей страны;

Не за гордую твердыню,
Что у матушки-реки,
А за некий, скажем ныне,
Населенный пункт Борки.

Он стоял за тем болотом
У конца лесной тропы,
В нем осталось ровным счетом
Обгорелых три трубы.

The Fight in The Swamp

This nameless battle, which today
will occupy our thoughts,
took place, was done, then went away ...
And now, who can recall it?

A fight in a forest, among bushes and swamp,
where the war had seeped its way,
where the water came up to the knees of the troops
and the mud came up to their thighs;

where the soldiers wandered dismally,
and at night the guns slipped down
and slumped in the viscous slurry,
and the tractors drowned.

And in the wild swamp, this fight –
in the second year of the war –
wasn't fought on behalf of some great
city, uniquely worth fighting for;

it wasn't fought for some proud fortress
built on a river promontory,
but for a certain (I must confess)
dismal hamlet: Borki.

It stood in this very same swamp
at the end of a forest alley,
and all that remained of its former 'pomp'
were three burned-out chimneys.

Там с открытых и закрытых
Огневых – кому забыть! –
Было бито, бито, бито,
И, казалось, что там бить?

Там в щебенку каждый камень,
В щепки каждое бревно.
Называлось там Борками
Место черное одно.

А в окружку – мох, болото,
Край от мира в стороне.
И подумать вдруг, что кто-то
Здесь родился, жил, работал,
Кто сегодня на войне.

Где ты, где ты, мальчик босый,
Деревенский пастушок,
Что по этим дымным росам,
Что по этим кочкам шел?

Бился ль ты в горах Кавказа,
Или пал за Сталинград,
Мой земляк, ровесник, брат,
Верный долгу к приказу
Русский труженик-солдат.

Или, может, а этих дымах,
Что уже недалеки,
Видишь нынче свой родимый
Угол дедовский, Борки?

From all vantage points, both open
and concealed (how could we forget?)
it had been beaten, beaten, beaten,
and what was there now left to beat?

Every stone was smashed to shivers,
every beam was splintered up.
Borki was a name now given
to a black space on the map.

And all around it, moss and swamp,
the edge of the ruined world.
And suddenly the thought came up
that here a man had been born, had grown,
who now was at the war.

Where are you now, you barefoot boy,
you little village shepherd,
who walked through the mist by hidden ways,
who trod no official roads?

Did you fight in the Caucasus,
did you die at Stalingrad,
my countryman, my fellow lad,
always faithful to the laws
of the Russian peasant soldiers?

Or maybe now, from out the smoke,
you now are standing near,
and see the place that was once your home,
this Borki you held so dear?

И у той черты недальной,
У земли многострадальной,,
Что была к тебе добра,
Влился голос твой в печальный
И протяжный стон: “Ура-а...”

Как в бою удачи мало
И дела нехороши,
Виноватого, бывало,
Там попробуй поищи.

Артиллерия толково
Говорит – она права:
– Вся беда, что танки снова
В лес свернули по дрова.

А еще сложнее счеты,
Чуть танкиста повстречал:
– Подвела опять пехота.
Залегла. Пропал запал.

А пехота не хвастливо,
Без отрыва от земли
Лишь махнет рукой лениво:
– Точно. Танки подвели.

Так идет оно по кругу,
И ругают все друг друга,
Лишь в согласье все подряд
Авиацию бранят.

Все хорошие ребята,
Как посмотришь – красота.
И ничуть не виноваты,
И деревня не взята.

And maybe now you aren't so far,
and see the land that's suffered hard,
that holds you in her sway,
and maybe you lifted your voice in a sad
and long-drawn-out 'Hurray.'

When a battle's had a bitter end
and everything looks grim,
then everybody looks around
and tries to pin the blame.

The artillery shrug and say
(and who knows, they may be right?)
'The fault's that the tanks went their way
and left us in the shite.'

But the matter gets more knotty
when you meet someone from the tanks:
'They screwed it up, the infantry.
They went and broke their ranks.'

The infantry will turn and sigh
and wave a weary hand,
and make no effort to deny,
but: 'It was the tank command.'

And so they all talk on in circles,
and all blame one another,
although there's one thing that they all
agree on: 'The Air Force were poor.'

They're all such wonderful lads:
just look at them, a bunch of beauties.
And of course it's nobody's fault
they didn't manage to take Borki.

И противник по болоту,
По траншейкам торфяным
Садит вновь из минометов –
Что ты хочешь делай с ним.

Адреса разведал точно,
Шлет посылки спешной почтой,
И лежишь ты, адресат,
Изнывая, ждешь за кочкой,
Скоро ль мина влепит в зад.

Перемокшая пехота
В полный смак клянет болото,
Не мечтает о другом –
Хоть бы смерть, да на сухом.

Кто-нибудь еще расскажет,
Как лежали там в тоске.
Третьи сутки кукиш кажет
В животе кишка кишке.

Посыпает дождик редкий,
Кашель злой терзает грудь.
Ни клочка родной газетки –
Козью ножку завернуть;

И ни спичек, ни махорки –
Все раскисло от воды.
– Согласись, Василий Теркин,
Хуже нет уже беды?

And their enemy's in the muck
and laying down mortar shells –
enough deciding who made us unstuck:
we need to deal with the Nazis as well.

They've found out the addresses
and are sending special deliveries,
and you just lie on the loam
waiting for the Nazis to ease
a mortar shell up your bum.

They lie and wait and swear up a storm,
the sodden infantry:
not afraid of death, let the fucker come,
but let their death be dry!

Someone else will tell the story
of how they lay there glum and bored
for three days as they suffered slowly
and their stomachs rumbled.

A fine rain fell without respite –
a cough in the breast of every solider –
and no one could roll a cigarette,
because there was no paper;

and no matches, and no tobacco:
it was all soaked through.
'Tell me Tyorkin, you will know,
is this the worst we've been through?'

Тот лежит у края лужи,
Усмехнулся:
– Нет, друзья,
Во сто раз бывает хуже,
Это точно знаю я.

– Где уж хуже...
– А не спорьте,
Кто не хочет, тот не верь,
Я сказал бы: на курорте
Мы находимся теперь.

И глядит шутник великий
На людей со стороны.
Губы – то ли от черники,
То ль от холода черны,

Говорит:
– В своем болоте
Ты находишься сейчас.
Ты в цепи. Во взводе. В роте.
Ты имеешь связь и часть.

Даже сетовать неловко
При такой, чудак, судьбе.
У тебя в руках винтовка,
Две гранаты при тебе.

Tyorkin's lying in a pond,
and bursts out laughing:
'No, lads,
I've seen much worse around
while I've been fighting.'

'Where was that ...'
'Now don't you fret,
don't believe me if you don't want to,
but let me tell you: this is sweet
compared to what I've been through.'

And the joker takes a view
of the folks he lies among.
His lips are blue with berry juice,
or maybe because it's freezing.

And now he speaks: 'This is your swamp
you're lying in right now.
You've got supply lines; you're part of a group;
communications aren't broken down.

It's not really very suitable
to complain about your fate:
in your hands you have a rifle,
a couple of grenades.

У тебя – в тылу ль, на фланге, –
Сам не знаешь, как силен, –
Бронебойки, пушки, танки.
Ты, брат, – это батальон.
Полк. Дивизия. А хочешь –
Фронт. Россия! Наконец,
Я, скажу тебе короче
И понятней: ты – боец.

Ты в строю, прошу усвоить,
А быть может, год назад
Ты бы здесь изведал, воин,
То, что наш изведал брат.

Ноги б с горя не носили!
Где свои, где чьи края?
Где тот фронт и где Россия?
По какой рубеж своя?

И однажды ночью поздно,
От деревни в стороне
Укрывался б ты в колхозной,
Например, сенной копне...

Тут, озноб вдувая в души,
Долгой выгнувшись дугой,
Смертный свист скатился в уши,
Ближе, ниже, суше, глуше –
И разрыв!
За ним другой...

And you've got support, to your flanks and rear,
you don't even know how much –
tanks and cannons, armour-piercers,
loads of guns and such.
You've got the battalion, you've got the division,
you've got the front, if you want.
You've got the whole of Mother Russia!
You're a soldier, let me be blunt.

Now you're on the line of battle,
but, who knows, a year ago,
you might have been through the same trouble
that I've been through, and know.

You'd have been ruined under pressure!
Where are your pals, and where your land?
Where's the front and where is Russia?
Where is the world I understand?

And late one night it might have happened,
you'd be hiding out of sight,
finding a place away from the farmland,
a heap of hay to spend the night ...'

And at this moment, to the soul
there comes a whistling pain,
in your ears, a deadly whistle,
closer, lower, bearing down –
an explosion!
                    And then again ...

– Ну, накрыл. Не даст дослушать
Человека.
– Он такой...

И за каждым тем разрывом
На примолкнувших ребят
Рваный лист, кружась лениво,
Ветки сбитые летят.

Тянет всех, зовет куда-то,
Уходи, беда вот-вот...
Только Теркин:
– Брось, ребята,
Говорю – не попадет.

Сам сидит как будто в кресле,
Всех страхует от огня.
– Ну, а если?..
– А уж если...
Получи тогда с меня.

Слушай лучше. Я серьезно
Рассуждаю о войне.

Вот лежишь ты в той бесхозной,
В поле брошенной копне.

Немец где? До ближней хаты
Полверсты – ни дать ни взять,
И приходят два солдата
В поле сена навязать.

'Well, they're ranging, maybe this'll
shut you up.'
'And once again ...'

And with each growling, harsh explosion
above the silent troops
leaves came down in slow confusion
tracing curls and loops.

Everybody's tense; someone cries out:
'Let's get a shift on, mates ...'
Only Tyorkin:
'Cut that out,
I'm telling you, they won't get us.'

He sits up, like he's in a chair,
and protects them from the bombardment.
'But if they get us ...?'
'You won't care ...
and I'll make sure you get a payment.

But listen up, I'll tell my story
and in a serious way.

So, I'll carry on. Where were we?
Yes, hiding in the hay.

Where are the Nazis? It's half a verst
to the nearest house, but I can't get away:
here come a pair of German soldiers
to the field to bind some hay.

Из копнушки вяжут сено,
Той, где ты нашел приют,
Уминают под колено
И поют. И что ж поют!

Хлопцы, верьте мне, не верьте,
Только врать не стал бы я,
А поют худые черти,
Сам слыхал: "Москва моя".

Тут состроил Теркин рожу
И привстал, держась за пень,
И запел весьма похоже,
Как бы немец мог запеть.

До того тянул он криво,
И смотрел при этом он
Так чванливо, так тоскливо,
Так чудно, – печенки вон!

– Вот и смех тебе. Однако
Услыхал бы ты тогда
Эту песню, – ты б заплакал
От печали и стыда.

И смеешься ты сегодня,
Потому что, знай, боец:
Этой песни прошлогодней
Нынче немец не певец.

– Не певец-то – это верно,
Это ясно, час не тот...
– А деревню-то, примерно,
Вот берем – не отдает.

They take some hay from the very heap
where I've found a place to hide,
and kneel on it to bind it neat
and sing as the bundle's tied.

And what are they singing? You won't believe me,
but I promise I'm not lying,
the song the Nazis have chosen to go with
is "Dear Old Moscow Mine".

And here Tyorkin screws his face up
and puts his hand on a tree fragment
and sings a bit of the song, from the top,
in a passable German accent.

And he stretched out the words so oddly,
and as he did so, looked
so pompous and so melancholy
that they laughed until they choked.

'Well, good to laugh. But if you'd heard it
back then in the field,
you'd have wanted to cry, like I did,
at the arrogance it revealed.

But at least we laugh today,
because, for six months or so,
that song has turned to dust in the mouth
of the arrogant Nazi crew.'

'Yeah, they're not singing any more,
no my-old-Moscow bands ...'
'But as far as the village we're fighting for,
they're holding it with both hands.'

И с тоскою бесконечной,
Что, быть может, год берег,
Кто-то так чистосердечно,
Глубоко, как мех кузнечный,
Вдруг вздохнул:
– Ого, сынок!

Подивился Теркин вздоху,
Посмотрел, – ну, ну! – сказал, –
И такой ребячий хохот
Всех опять в работу взял.

– Ах ты, Теркин. Ну и малый.
И в кого ты удался,
Только мать, наверно, знала...
– Я от тетки родился.

– Теркин – теткин, елки-палки,
Сыпь еще назло врагу.

– Не могу. Таланта жалко.
До бомбежки берегу.
Получай тогда на выбор,
Что имею про запас.

– И за то тебе спасибо.
– На здоровье. В добрый час.

Заключить теперь нельзя ли,
Что, мол, горе не беда,
Что ребята встали, взяли
Деревушку без труда?

And with some kind of endless hurt,
that he'd been saving for a year,
that came from out of his very heart,
like wheezing bellows squeezed apart,
a soldier sighed a deep 'Oh dear!'

Tyorkin sat up at the sigh,
and looked around, and said, 'Well, Well!'
and suddenly boyish jollity
ran round the bogged-in arsenal.

'Oh, you, Tyorkin. What are you like?
Where did you make all this up?
Only your mother could set us right ...'
'My aunt's the one who brought me up.'

'My aunt! My eye! Come, tell us more
about the enemy.'

'I can't; it'd be a waste of my store:
I'll wait for their artillery.
You can have first dibs on all
I've got left after they've been.'

'Well, cheers for that, I've got first call.'
'No worries, mate. All in.'

Can we summarise this story
by saying it all worked out alright,
that the lads got up and marched to glory
and took the village without a fight?

Что с удачей постоянной
Теркин подвиг совершил:
Русской ложкой деревянной
Восемь фрицев уложил!

Нет, товарищ, скажем прямо:
Был он долог до тоски,
Летний бой за этот самый
Населенный пункт Борки.

Много дней прошло суровых,
Горьких, списанных в расход.

– Но позвольте, – скажут снова, –
Так о чем тут речь идет?.

Речь идет о том болоте,
Где война стелила путь,
Где вода была пехоте
По колено, грязь – по грудь;

Где в трясине, в ржавой каше,
Безответно – в счет, не в счет –
Шли, ползли, лежали наши
Днем и ночью напролет;

Где подарком из подарков,
Как труды ни велики,
Не Ростов им был, не Харьков,
Населенный пункт Борки.

И в глуши, в бою безвестном,
В сосняке, в кустах сырых
Смертью праведной и честной
Пали многие из них.

That Vasya Tyorkin, great as always,
performed a mighty feat of arms
and knocked a dozen Nazis sideways
with an empty pickle jar?

No, my comrades, let's be honest:
the struggle was sad and lengthy,
and all summer long the battle pressed
round Borki and its territory.

Many days of bitter war
went by, were written off.

'Tell me, what are we doing this for?
No, really, what's it in aid of?'

In aid of that mess, so swampy, so marshy
where the war had seeped its way,
where the water came up to your knees
and the mud came up to your thighs;

where through mud as thick as buckwheat kasha
the troops, for wrong or for right,
walked and crawled and sometimes faltered
day after day, night after night;

where the prize for all their labour,
for all their struggle, sweat and blood,
was not some city of fame or fable,
but Borki and its surrounding mud.

In the forest depths, in the vicious struggle
among the pinetrees and bushes
many of them sank and fell
and made honourable corpses.

Пусть тот бой не упомянут
В списке славы золотой,
День придет – еще повстанут
Люди в памяти живой.

И в одной бессмертной книге
Будут все навек равны –
Кто за город пал великий,
Что один у всей страны;

Кто за гордую твердыню,
Что у Волги у реки,
Кто за тот, забытый ныне,
Населенный пункт Борки.

И Россия – мать родная –
Почесть всем отдаст сполна.
Бой иной, пора иная,
Жизнь одна и смерть одна.

This fight may not appear in the chronicle,
the golden page in glory's list,
but we will remember those who fell,
their sacrifice will not be missed.

And in one further, deathless volume
all shall equal be one day:
those who died for the one town
unique in all the country;

those who died on the Volga river,
protecting its proud city;
those who died, the forgotten soldiers
for the sake of little Borki.

And Russia, the mother of all,
will grant every man his glorious peak.
Wars may differ, and struggles as well,
but each life and death is unique.

О любви

Всех, кого взяла война,
Каждого солдата
Проводила хоть одна
Женщина когда-то...

Не подарок, так белье
Собрала, быть может,
И что дольше без нее,
То она дороже.

И дороже этот час,
Памятный, особый,
Взгляд последний этих глаз,
Что забудь попробуй.

Обойдись в пути большом,
Глупой славы ради,
Без любви, что видел в нем,
В том прощальном взгляде.

Он у каждого из нас
Самый сокровенный
И бесценный наш запас,
Неприкосновенный.

Он про всякий час, друзья,
Бережно хранится.
И с товарищем нельзя
Этим поделиться,
Потому – он мой, он весь –
Мой, святой и скромный,
У тебя он тоже есть,
Ты подумай, вспомни.

On Love

All the men whom war has called,
who have been carried far away
have been bidden a fond farewell
by at least one special lady ...

Her only gift, a handkerchief,
which he holds safe and dear:
as time goes by he still feels love
and misses here all the more.

And all the dearer is the day,
the time when they two parted,
the farewell gaze from her fair eyes,
that he will never forget.

There is no purpose in the quest,
the search for stupid glory,
without that gaze held in your breast,
when you two said goodbye.

For every one who sees it,
that look will never die,
and will forevermore be guarded
precious, perfectly.

We keep it in our hearts, my friends,
for the moment that we require it.
And it never will be shared
with any of our comrades,
because it's mine, it's mine alone,
mine, modest and mine, sacred,
and you will have your own version,
remember that now, comrade.

Всех, кого взяла война,
Каждого солдата
Проводила хоть одна
Женщина когда-то...

И приходится сказать,
Что из всех тех женщин,
Как всегда, родную мать
Вспоминают меньше.

И не принято родной
Сетовать напрасно, –
В срок иной, в любви иной
Мать сама была женой
С тем же правом властным.

Да, друзья, любовь жены, –
Кто не знал – проверьте, –
На войне сильней войны
И, быть может, смерти.

Ты ей только не перечь,
Той любви, что вправе
Ободрить, предостеречь,
Осудить, прославить.

Вновь достань листок письма,
Перечти сначала,
Пусть в землянке полутьма,
Ну-ка, где она сама
То письмо писала?

All the men whom war has called,
who have been carried far away
have been bidden a fond farewell
by at least one special lady ...

And I have to point it out
that, out of all these women,
it's always your own dear mother
who ends up forgotten.

And she doesn't stay at home
whining about her age:
she's had her love, she's had her time,
she's had her power; she's been a wife
with all the power of marriage.

Yes, my friends, don't think any more,
just know that the love of a wife
in a time of war is stronger than war,
and may be stronger than death.

Don't stand against it ever,
that love which guides you truly,
and comforts you, and suffers,
and both judges and glorifies.

Take it out once more, her letter,
and read it from the start:
the light in the trench begins to flutter,
but really, were things that much better
where she writes from the heart?

При каком на этот раз
Примостилась свете?
То ли спали в этот час,
То ль мешали дети,
То ль болела голова
Тяжко, не впервые,
Оттого, брат, что дрова
Не горят сырые?..

Впряжена в тот воз одна,
Разве не устанет?
Да зачем тебе жена
Жаловаться станет?

Жены думают, любя,
Что иное слово
Все ж скорей найдет тебя
На войне живого.

Нынче жены все добры,
Беззаветны вдосталь,
Даже те, что до поры
Были ведьмы просто.

Смех – не смех, случалось мне
С женами встречаться,
От которых на войне
Только и спасаться.

Чем томиться день за днем
С той женою-крошкой,
Лучше ползать под огнем
Или под бомбежкой.

When she took the time to write
in the apartment, was the light on?
Were the children asleep at night
or were they being annoying,
and did her head cause her some pain
because the fire was smoking?
Some annoyance that happened again,
was history always repeating?

Harnessed to the grind of life,
surely she must be weary?
But why would a soldier's wife
complain at how things must be?

Wives think that a kindly word
will help their husband thrive
and all the sooner cause him good
and bring him home alive.

Now women are all wonderful,
fully self-sacrificing,
even those who've been until
this moment all cake, no icing.

Oh you can laugh at me if you want,
but I've met lots of women
whom you might want to enlist to avoid
even in high wartime.

What their husbands suffered
from these women's commandments ...
it took more courage to face their words
than a Nazi bombardment.

Лучше, пять пройдя атак,
Ждать шестую в сутки...
Впрочем, это только так,
Только ради шутки.

Нет, друзья, любовь жены, –
Сотню раз проверьте, –
На войне сильней войны
И, быть может, смерти.

И одно сказать о ней
Вы б могли вначале:
Что короче, что длинней –
Та любовь, война ли?

Но, бестрепетно в лицо
Глядя всякой правде,
Я замолвил бы словцо
За любовь, представьте.

Как война на жизнь ни шла,
Сколько ни пахала,
Но любовь пережила
Срок ее немалый.

И недаром нету, друг,
Письмеца дороже,
Что из тех далеких рук,
Дорогих усталых рук
В трещинках по коже.

И не зря взываю я
К женам настоящим:
– Жены, милые друзья,
Вы пишите чаще.

Better to sit through five attacks
and then: 'Bring on number six, I beg!'
No, I'm just doing this for the bantz;
I'm just pulling your leg.

Yes, my friends, don't think any more,
just know that the love of a wife
in a time of war is stronger than war,
and may be stronger than death.

And there is one more thing to say,
which I could have said from the start:
which lasts longer, which will survive:
the war, or a woman's heart?

Well I'd look truth straight in the eye
without a trace of doubt,
and say that in that stupid fight
it's love that will win out.

Whatever war comes to a life,
whatever battles rage,
the force that will win out is love,
for love will last an age.

And there's nothing that is better
or dearer to receive
that the simple one-page letter
penning the truths a heart can utter,
the simple truths of love.

And I don't call out in vain
to all the real women:
'Ladies, dearest, kind and keen,
please write us more often.

Не ленитесь к письмецу
Приписать, что надо.
Генералу ли, бойцу,
Это – как награда.

Нет, товарищ, не забудь
На войне жестокой:
У войны короткий путь,
У любви – далекий.

И ее большому дню
Сроки близки ныне.

А к чему я речь клоню?
Вот к чему, родные.

Всех, кого взяла война,
Каждого солдата
Проводила хоть одна
Женщина когда-то...

Но хотя и жалко мне,
Сам помочь не в силе,
Что остался в стороне
Теркин мой Василий.

Не случилось никого
Проводить в дорогу.

Полюбите вы его,
Девушки, ей-богу!

Любят летчиков у нас,
Конники в почете.

Take the time to write a note:
for a soldier or for a general
to get a scrap of news from home
is as though they've won a medal.

No, my comrade, don't forget
that war is something evil:
but wars are short, far longer yet
is the path trodden by love.

The day when love shall finally win
is always getting nearer.

But why have I been going on?
I'll get to the point, make it clearer.

All the men whom war has called,
who have been carried far away
have been bidden a fond farewell
by at least one special lady ...

But although it makes me sad
that I can't help him out,
there's one abandoned, lonely lad ...
Tyorkin's been left out.

No one came to wave him off
when the war came by.

Why not let him have some love,
ladies, don't pass him by!

Pilots get a lot of love,
and so do the cavalry.

Обратитесь, просим вас,
К матушке-пехоте!

Пусть тот конник на коне,
Летчик в самолете,
И, однако, на войне
Первый ряд – пехоте.

Пусть танкист красив собой
И горяч в работе,
А ведешь машину в бой –
Поклонись пехоте.

Пусть форсист артиллерист
В боевом расчете,
Отстрелялся – не гордись,
Дела суть – в пехоте.

Обойдите всех подряд,
Лучше не найдете:
Обратите нежный взгляд,
Девушки, к пехоте.

Полюбите молодца,
Сердце подарите,
До победного конца
Верно полюбите!

But there must be some to give
to the general infantry!

Yes, the horseman on his horse,
and yes, the pilot's plane,
but the infantry will face the worst
before these other men.

Yes, the man who drives the tank
is a fine and worthy guy
but as he drives the machine to the front
he bows to the infantry.

They come out in front, the artillery,
when the victories are tallied,
but if it weren't for the infantry
their glory would be shattered.

Travel round the whole of our troops,
you'll never find a better,
or more deserving of gentle looks
than the simple infantry soldier.

So fall in love with a fine young guy,
give him what heart you have in you,
before our final victory
find someone to be true to!

Отдых Тёркина

На войне – в пути, в теплушке,
В тесноте любой избушки,
В блиндаже иль погребушке, –
Там, где случай приведет, –

Лучше нет, как без хлопот,
Без перины, без подушки,
Примостясь кой-как друг к дружке,
Отдохнуть... Минут шестьсот.

Даже больше б не мешало,
Но солдату на войне
Срок такой для сна, пожалуй,
Можно видеть лишь во сне.

И представь, что вдруг, покинув
В некий час передний край,
Ты с попутною машиной
Попадаешь прямо в рай.

Мы здесь вовсе не желаем
Шуткой той блеснуть спроста,
Что, мол, рай с передним краем
Это – смежные места.

Рай по правде. Дом. Крылечко.
Веник – ноги обметай.
Дальше – горница и печка.
Все, что надо. Чем не рай?

Tyorkin On Leave

At war, en route, inside a wagon,
in some cramped and smoky cabin,
in a hut or in a troop-train,
wherever you stow your things,

there's nothing better, no complaining,
no pillows and no mattress, than
to huddle up with all your men
and catch yourself forty winks.

Longer wouldn't hurt you, either,
but if you're a man at war,
the thought of sleeping several hours
is just a dream you keep reaching for.

But just imagine that they send you
off to some front-line station
and the truck in which you end up
takes you to a piece of heaven.

And I don't mean the hoary joke
that we all hear every day
that when you finally reach the front
heaven's only a step away.

I mean true heaven. A home. A roof.
A brush at the door to keep things clean.
A stove, a place to stow your stuff,
all that you need. How's that not heaven?

Вот и в книге ты отмечен,
Раздевайся, проходи.
И плечьми у теплой печи
На свободе поведи.

Осмотрись вокруг детально,
Вот в ряду твоя кровать.
И учти, что это – спальня,
То есть место – специально
Для того, чтоб только спать.

Спать, солдат, весь срок недельный,
Самолично, безраздельно
Занимать кровать свою,
Спать в сухом тепле постельном,
Спать в одном белье нательном,
Как положено в раю.

И по строгому приказу,
Коль тебе здесь быть пришлось,
Ты помимо сна обязан
Пищу в день четыре раза
Принимать. Но как? – вопрос.

Всех привычек перемена
Поначалу тяжела.
Есть в раю нельзя с колена,
Можно только со стола.

И никто в раю не может
Бегать к кухне с котелком,
И нельзя сидеть в одеже
И корежить хлеб штыком.

They put your name down in the book:
come on, get your jacket off.
Go right up to the stove and take
the time to warm yourself.

Look around with due attention,
here's your row, and here's your bed.
Look, this place is worth a mention,
the dormitory, not a mansion,
but a place for you to lay your head.

Sleep, soldier, in your week of rest,
your time for you to use as you best
see fit, maybe stay in your bed,
sleep in sheets that are clean and pressed,
sleep in just your pants and vest,
there's heaven before you're dead.

And you must obey the orders,
now you're here, your duty
is to sleep, exhausted soldier,
and eat four times a day.
And how to eat? I'll show you the way.

Any change of regular habits
must be approached by degrees:
in paradise you sit at a table
rather than eat from your knees.

And everyone has manners in heaven:
no one grabs their tin mess pot
to get the last scraps from the kitchen,
or slices bread with a bayonet.

И такая установка
Строго-настрого дана,
Что у ног твоих винтовка
Находиться не должна.

И в ущерб своей привычке
Ты не можешь за столом
Утереться рукавичкой
Или – так вот – рукавом.

И когда покончишь с пищей,
Не забудь еще, солдат,
Что в раю за голенище
Ложку прятать не велят.

Все такие оговорки
Разобрав, поняв путем,
Принял в счет Василий Теркин
И решил:
– Не пропадем.

Вот обед прошел и ужин.
– Как вам нравится у нас?
– Ничего. Немножко б хуже,
То и было б в самый раз...

Покурил, вздохнул и на бок.
Как-то странно голове.
Простыня – пускай одна бы,
Нет, так на, мол, сразу две.

Чистота – озноб по коже,
И неловко, что здоров,
А до крайности похоже,
Будто в госпитале вновь.

And it's seriously against the rules –
by orders from on high –
to refuse to stow your rifle
and prop it against your thigh.

And, as if that's not enough,
when you've eaten all you need,
you can't wipe your mouth with your cuff
or – worse than that – your sleeve.

And when you're done with all your grub
don't forget that here in paradise
it's not quite the done thing to slip
into your boots your fork and knife.

As he assesses all these orders,
and works out why they're there,
he makes his mind up, does Vasya Tyorkin
and decides:
'I think they're fair.'

The final meal has run its course.
'How do you like it here?'
'Well, you know, it could be worse,
and I've known worse, to be fair.'

He smoked a fag, and sighed, lay down.
There's something weird with his head.
Maybe a sheet, is there only one,
Or two upon this bed?

It's so clean here, sheet against the skin,
and it's weird to be so healthy,
'cos it's like you're in hospital again,
it's almost kind of spooky.

Бережет плечо в кровати,
Головой не повернет.
Вот и девушка в халате
Совершает свой обход.

Двое справа, трое слева
К ней разведчиков тотчас.
А она, как королева:
Мол, одна, а сколько вас.

Теркин смотрит сквозь ресницы:
О какой там речь красе.
Хороша, как говорится,
В прифронтовой полосе.

Хороша, при смутном свете,
Дорога, как нет другой,
И видать, ребята эти
Отдохнули день, другой...

Сон-забвенье на пороге,
Ровно, сладко дышит грудь.
Ах, как холодно в дороге
У объезда где-нибудь!

Как прохватывает ветер,
Как луна теплом бедна!
Ах, как трудно все на свете:
Служба, жизнь, зима, война.

Как тоскует о постели
На войне солдат живой!
Что ж не спится в самом деле?
Не укрыться ль с головой?

He sinks his shoulder in the mattress
and keeps his head quite still.
And here comes the dormitory monitor,
carrying out the rollcall.

There's two to his right, three to his left
and they all start to flirt with her.
She speaks right back like a princess:
'I'm alone with all my soldiers ...'

Tyorkin peeks out through his lashes:
is she worth the fuss they make?
By the standard of front-line r'n'r houses
she's a stunner and no mistake.

She's pretty, in the room's dim light,
and dear to them (she's got no rival)
and it's clear that for several nights
the soldiers have let their tension unravel ...

On the doorstep of oblivion,
his chest moves softly up and down.
Oh, how cold it is out on the road,
driving on from town to town!

And how cold the wind would chill you,
how little warmth the moon can give!
Everything in the world can kill you,
so little worth it in the world to live.

How the soldier on manoeuvres
yearns to see once more his bed!
But why isn't Tyorkin snoozing?
What is wrong with Tyorkin's head?

Полчаса и час проходит,
С боку на бок, навзничь, ниц.
Хоть убейся – не выходит.
Все храпят, а ты казнись.

То ли жарко, то ли зябко,
Не понять, а сна все нет.
– Да надень ты, парень, шапку, –
Вдруг дают ему совет.

Разъясняют:
– Ты не первый,
Не второй страдаешь тут.
Поначалу наши нервы
Спать без шапки не дают.

И едва надел родимый
Головной убор солдат,
Боевой, пропахший дымом
И землей, как говорят, –

Тот, обношенный на славу
Под дождем и под огнем,
Что еще колючкой ржавой
Как-то прорван был на нем;

Тот, в котором жизнь проводишь,
Не снимая, – так хорош! –
И когда ко сну отходишь,
И когда на смерть идешь, –

The clock strikes hours and quarter hours,
and Tyorkin shifts from side to side.
Everything just makes it worse:
the others snore; Tyorkin's wide-eyed.

So it's too cold, and it's too hot,
you don't know why; you can't close your eyes.
'Come on, kid, put on your hat.'
From the dark comes some sudden advice.

The explanation:
'You're not the first
or even the second to suffer.
To begin with, a soldier's nerves
won't let him sleep with his head uncovered.'

And scarcely has this strange voice spoken
than Tyorkin reaches for his rucksack,
and rummages, then puts his hat on,
which smells of earth and smoke.

The hat's been worn for glory's sake
in downpours and under heavy fire,
still shows the scratches where it's been nicked
by rolls of razor wire.

A hat you've spent a lot of your life in,
without ever taking it off,
whether you've been at ease and drowsing,
or huddled down, defying death,

Видит: нет, не зря послушал
Тех, что знали, в чем резон:
Как-то вдруг согрелись уши,
Как-то стало мягче, глуше –
И всего свернуло в сон.

И проснулся он до срока
С чувством редкостным – точь-в-точь
Словно где-нибудь далеко
Побывал за эту ночь;

Словно выкупался где-то,
Где – хоть вновь туда вернись –
Не зима была, а лето,
Не война, а просто жизнь.

И с одной ногой обутой,
Шапку снять забыв свою,
На исходе первых суток
Он задумался в раю.

Хороши харчи и хата,
Осуждать не станем зря,
Только, знаете, война-то
Не закончена, друзья.

Посудите сами, братцы,
Кто б чудней придумать мог:
Раздеваться, разуваться
На такой короткий срок.

Тут обвыкнешь – сразу крышка,
Чуть покинешь этот рай.
Лучше скажем: передышка.
Больше время не теряй.

yes, it's clear the mystery voice
told Tyorkin something that was true:
his ears no longer cold as ice,
the bed began to feel nice,
and down to sleep he flew.

He woke up early next day
with a strange feeling, just as if
he'd travelled somewhere far away
as through the night he'd drifted.

As though he'd been off swimming somewhere
where – let him go back there again –
it was never winter, only summer,
and war had never once been seen.

With only one of his boots on,
his hat forgotten on his head,
as he got dressed to head on down
he thought and dreamed about this heaven.

Yes, it's nice to have a bed,
and food to eat, we're not denying it,
but just remember, my young lad,
the war's not over: we're still fighting it.

Think about it this way, boys:
it's an odd situation:
you come and sit, relax a bit,
and then you're back on mission.

You get accustomed: room and board,
but then you're soon checked out.
Better to call it a very brief pause,
and not get too hung up on it.

Закусил, собрался, вышел,
Дело было на мази.
Грузовик идет, – заслышал,
Голосует:
– Подвези.

И, четыре пуда грузу
Добавляя по пути,
Через борт ввалился в кузов,
Постучал: давай, крути.

Ехал – близко ли, далеко –
Кому надо, вымеряй.
Только, рай, прощай до срока,
И опять – передний край.

Соскочил у поворота, –
Глядь – и дома, у огня.
– Ну, рассказывайте, что тут,
Как тут, хлопцы, без меня?

– Сам рассказывай. Кому же
Неохота знать тотчас,
Как там, что в раю у вас...

– Хорошо. Немножко б хуже,
Верно, было б в самый раз...

Хорошо поспал, богато,
Осуждать не станем зря.
Только, знаете, война-то
Не закончена, друзья.

Eat some food, grab your stuff,
this is how it ends.
Go outside, here comes a truck,
halts:
'Where you going, friends?'

Now to add your eighty kilos
to the truck's full cargo,
climb in the back and bang the roof:
'Come on, mate, let's go.'

And you're off: is it far to drive?
You don't really care, who counts?
Just wave goodbye to paradise,
and hello to the front.

Jump down where the truck turns round –
take a look: a campfire, you're home to stay.
'Hey tell me, lads, how did you get on
while I was far away?'

'We got on fine. But you tell us
how was it there with you?
How was it out in paradise ...'

'I'll tell you, it was quite alright,
I've been in worse places, true ...'

Yes he slept, and that's not bad,
there's really no denying it,
but just remember, my young lad,
the war's not over: we're still fighting it.

Как дойдем до той границы
По Варшавскому шоссе,
Вот тогда, как говорится,
Отдохнем. И то не все.

А пока – в пути, в теплушке,
В тесноте любой избушки,
В блиндаже иль погребушке,
Где нам случай приведет, –

Лучше нет, как без хлопот,
Без перины, без подушки,
Примостясь плотней друг к дружке,
Отдохнуть.
А там – вперед.

But when we've made it to the border
along the Warsaw Highway,
that's when we'll have our house in order,
that's when we'll rest our day.

Until then ... en route, inside a wagon,
in some cramped and smoky cabin,
in a hut or in a troop-train,
wherever you stow your things,

there's nothing better, no complaining,
no pillows and no mattress, than
to huddle up with all your men
and sleep.
Then fight again.

В наступлении

Столько жили в обороне,
Что уже с передовой
Сами шли, бывало, кони,
Как в селе, на водопой.

И на весь тот лес обжитый,
И на весь передний край
У землянок домовитый
Раздавался песий лай.

И прижившийся на диво,
Петушок – была пора –
По утрам будил комдива,
Как хозяина двора.

И во славу зимних буден
В бане – пару не жалей –
Секлись вениками люди
Вязки собственной своей.

На войне, как на привале,
Отдыхали про запас,
Жили, "Теркина" читали
На досуге.
        Вдруг – приказ...

Вдруг – приказ, конец стоянке.
И уж где-то далеки
Опустевшие землянки,
Сиротливые дымки.

Attacking

They've lived so long holding a position,
that the horses think it's quite in order
to mix with the locals and walk down
to drink from the common water.

And within the busy woods,
all along the line of the front
dogs have become domestic guards
and bark at whomever they want.

And as though it's nothing special,
the cock keeps things in order,
waking up the field marshal
as well as the local farmer.

And in honour of the winter,
the bath house with its head of steam
was filled with laughing, happy soldiers
sweating together as a team.

War was like a summer camp,
a time of rest and relaxation:
they read about young Tyorkin's romps
when suddenly –
Action stations!

Action stations, no more lounging.
And already, far away,
the abandoned dug-outs are found,
and smoke rising lonelily.

И уже обыкновенно
То, что минул целый год,
Точно день. Вот так, наверно,
И война, и все пройдет...

И солдат мой поседелый,
Коль останется живой,
Вспомнит: то-то было дело,
Как сражались под Москвой...

И с печалью горделивой
Он начнет в кругу внучат
Свой рассказ неторопливый,
Если слушать захотят...

Трудно знать. Со стариками
Не всегда мы так добры.
Там посмотрим.
А покамест
Далеко до той поры.

***

Бой в разгаре. Дымкой синей
Серый снег заволокло.
И в цепи идет Василий,
Под огнем идет в село.

И до отчего порога,
До родимого села
Через то село дорога –
Не иначе – пролегла.

And it was quite normal for them
to see how a year had vanished by
just like a single day. It's normal
in a war, when everything fades away ...

And the final, grey-haired soldier,
the only fighter left around,
will reminisce: 'Oh I remember
when we fought round Moscow town ...'

And with all his prideful sadness
he will start to tell the crowd
his story in its slow endlessness,
to anyone who might be around ...

It's hard to know. When it comes to oldsters
we are not always all that kind.
We shall see.
But for the moment
we're a long way from that time.

***

The war is raging. A blue smoke
makes the trampled snow look greyish.
And here comes Vasily Tyorkin,
under fire, heading for a village.

And to get to his native hamlet,
to the place where he was born,
Tyorkin's troops need to make it
through one village, and another one.

Что поделаешь – иному
И еще кружнее путь.
И идет иной до дому
То ли степью незнакомой,
То ль горами где-нибудь...

Низко смерть над шапкой свищет,
Хоть кого согнет в дугу.

Цепь идет, как будто ищет
Что-то в поле на снегу.

И бойцам, что помоложе,
Что впервые так идут,
В этот час всего дороже
Знать одно, что Теркин тут.

Хорошо – хотя ознобцем
Пронимает под огнем –
Не последним самым хлопцем
Показать себя при нем.

Толку нет, что в миг тоскливый,
Как снаряд берет разбег,
Теркин так же ждет разрыва,
Камнем кинувшись на снег;

Что над страхом меньше власти
У того в бою подчас,
Кто судьбу свою и счастье
Испытал уже не раз;

That's how it is, and other people
need to tread a steeper path,
or head home across the steppe
or ford a mighty river deep,
or make it through a mountain pass ...

Death whistles low above their hats,
although the soldiers crouch as they go.

The troops advance, as though they sought
something underneath the snow.

And the younger of the soldiers
who do this for the first time
are very pleased that Tyorkin's there
with them to walk the line.

It's good, although you feel a shiver
to be marching under fire,
not to be an abandoned soldier,
to know there's folk like Tyorkin there.

It's fine to have a man like Tyorkin,
to show you what you need to do
when a shell lands without exploding:
throw yourself straight down in the snow;

he hasn't mastered all his fear,
and that's quite useful in a fight:
when you try your luck in war
that's the moment you say good night;

Что, быть может, эта сила
Уцелевшим из огня
Человека выносила
До сегодняшнего дня, –

До вот этой борозденки,
Где лежит, вобрав живот,
Он, обшитый кожей тонкой
Человек. Лежит и ждет...

Где-то там, за полем бранным,
Думу думает свою
Тот, по чьим часам карманным
Все часы идут в бою.

И за всей вокруг пальбою,
За разрывами в дыму
Он следит, владыка боя,
И решает, что к чему.

Где-то там, в песчаной круче,
В блиндаже сухом, сыпучем,
Глядя в карту, генерал
Те часы свои достал;
Хлопнул крышкой, точно дверкой,
Поднял шапку, вытер пот...

И дождался, слышит Теркин:
– Взвод! За Родину! Вперед!..

И хотя слова он эти –
Клич у смерти на краю –
Сотни раз читал в газете
И не раз слыхал в бою, –

and it might be this urge for safety
that has kept him safe so far,
brought him uninjured and safely
through the madness of the war;

has brought him here, to this damp furrow
where he lies, pressed to the ground,
the soldier who hopes to see tomorrow ...
he lies and listens for any sound ...

And somewhere out behind the lines,
a man thinks his useful thoughts
and waits for when it will be the time
to move the war on its course.

And with all the noise around him,
all the explosions and the smoke,
he follows how the war's advancing
and decides where next to go.

Somewhere out there, in a cave
dug out of a sandy hill,
he studies maps, and orders brave
soldiers onwards, the general;
then snaps his watch shut, like a door,
picks up his hat and wipes his hands ...

Tyorkin, waiting, hears the order:
'Forwards! For the Motherland!'

And perhaps these powerful words –
a call with death just round the corner –
are things he's heard of, things he's read
but never heard as an actual order,

В душу вновь они вступали
С одинаковою той
Властью правды и печали,
Сладкой горечи святой;

С тою силой неизменной,
Что людей в огонь ведет,
Что за все ответ священный
На себя уже берет.

– Взвод! За Родину! Вперед!..

Лейтенант щеголеватый,
Конник, спешенный в боях,
По-мальчишечьи усатый,
Весельчак, плясун, казак,
Первым встал, стреляя с ходу,
Побежал вперед со взводом,
Обходя село с задов.
И пролег уже далеко
След его в снегу глубоком –
Дальше всех в цепи следов.

Вот уже у крайней хаты
Поднял он ладонь к усам:
– Молодцы! Вперед, ребята! –
Крикнул так молодцевато,
Словно был Чапаев сам.
Только вдруг вперед подался,
Оступился на бегу,
Четкий след его прервался
На снегу...

and now they penetrate his soul
with the same eternal power,
sad and sweet and proud, unshakeable,
striking to his very core;

with a power that can't be resisted,
driving men on either hand,
a powerful order that insisted
as it came from that cave of sand.

'Forwards! For the Motherland!'

And their lieutenant, stylish, spruce,
a horseman with the infantry,
his upper lip grown thick with fuzz,
a man of Cossack ancestry,
stood up first and shot as he ran,
hurrying with his battalion,
skirting round the houses.
And his footsteps led the way
and showed, as in the snow they lay,
no hesitation or pauses.

Here he is at the village edge,
with his hand lifted to his moustaches:
'Come on, you beauties! Come on, lads!'
he called in the same fashion
as Chapaev would have done.
But suddenly he launched off forwards
as he turned to go,
and his footprints clear stopped dead
in the snow ...

И нырнул он в снег, как в воду,
Как мальчонка с лодки в вир.
И пошло в цепи по взводу:
– Ранен! Ранен командир!..

Подбежали. И тогда-то,
С тем и будет не забыт,
Он привстал:
– Вперед, ребята!
Я не ранен. Я – убит...

Край села, сады, задворки –
В двух шагах, в руках вот-вот...
И увидел, понял Теркин,
Что вести его черед.

– Взвод! За Родину! Вперед!..

И доверчиво по знаку,
За товарищем спеша,
С места бросились в атаку
Сорок душ – одна душа...

Если есть в бою удача,
То в исходе все подряд
С похвалой, весьма горячей,
Друг о друге говорят..

And he fell in the snow like it was water,
and he were a boy diving out.
And 'He's hit! He's hit, the commander!'
rang from mouth to mouth.

They all ran up. And then what happened
they'll always keep in their heads.
He half got up from off the ground:
'Onwards, brothers!
As for me, I'm dead ...'

The village edge, the kitchen gardens,
are just over there, nearly in their hands ...
And suddenly he realised, Tyorkin,
that it was his turn to take command.

'Forwards! For the Motherland!'

And they trusted in his orders,
and ran truly after Tyorkin,
turning into bold attackers,
forty soldiers moved as one ...

If there's a victory in war,
if all has happened as desired
everyone talks to each other,
talking about what's transpired ...

– Танки действовали славно.
– Шли саперы молодцом.
– Артиллерия подавно
Не ударит в грязь лицом.
– А пехота!
– Как по нотам,
Шла пехота. Ну да что там!
Авиация – и та...

Словом, просто – красота.

И бывает так, не скроем,
Что успех глаза слепит:
Столько сыщется героев,
Что – глядишь – один забыт,

Но для точности примерной,
Для порядка генерал,
Кто в село ворвался первым,
Знать на месте пожелал.

Доложили, как обычно:
Мол, такой-то взял село,
Но не смог явиться лично,
Так как ранен тяжело.

И тогда из всех фамилий,
Всех сегодняшних имен –
Теркин – вырвалось – Василий!
Это был, конечно, он.

'The tanks were really good today.'
'The sappers worked really well.'
'Hooray for the artillery!
They really gave the Nazis hell.'
'And the infantry!'
'They were slick,
so good. Who else today?
Yeah, the planes all did the trick ...'

In short, it all went swimmingly.

Success can sometimes blind your eyes,
let us not hide the fact:
we hear about so many heroes
that maybe one slips through the net,

but let's make sure our notes are perfect
so the general knows what's what,
who got first into the village
is something that we need to note.

The general was told, as though it were nothing
that so-and-so the charge had led,
but he couldn't come in person,
as he had been badly wounded.

And then, of all the possibilities,
of all the names there written down,
there came up one: it's our Vasili!
Yes, it's him, Vasili Tyorkin.

Смерть и воин

За далекие пригорки
Уходил сраженья жар.
На снегу Василий Теркин
Неподобранный лежал.

Снег под ним, набрякши кровью,
Взялся грудой ледяной.
Смерть склонилась к изголовью:
– Ну, солдат, пойдем со мной.

Я теперь твоя подруга,
Недалеко провожу,
Белой вьюгой, белой вьюгой,
Вьюгой след запорошу.

Дрогнул Теркин, замерзая
На постели снеговой.
– Я не звал тебя, Косая,
Я солдат еще живой.

Смерть, смеясь, нагнулась ниже:
– Полно, полно, молодец,
Я-то знаю, я-то вижу:
Ты живой, да не – жилец.

Мимоходом тенью смертной
Я твоих коснулась щек,
А тебе и незаметно,
Что на них сухой снежок.

Моего не бойся мрака,
Ночь, поверь, не хуже дня...

Death and the Soldier

Beyond the distant hills and valleys
the sound of shooting died away.
And our friend, Tyorkin (Vasili)
in the snow unheeded lay.

The snow beneath him, mixed with blood,
had chilled his failing body.
Death bent over him and said:
'Now soldier, come with me.

We do not have that far to walk,
and I will be your lover now:
the wind will blow and fill your tracks
with powdered shifting snow.'

Tyorkin shivered, cold and lonely,
on his frozen bed.
'I'm no lover of yours, you bony
wench ... and I'm not dead.'

Death, with a chuckle, bent still lower:
'Yes, that's right, there-there, my love,
I know all about you, soldier:
you're living, you've not long to live.

I laid down my deathly shadow
on your cheeks as I slid past,
and you don't even feel the snow
that falls on them so fast.

Don't be afraid of the coming darkness,
night is nothing worse than day ...'

– А чего тебе, однако,
Нужно лично от меня?

Смерть как будто бы замялась,
Отклонилась от него.
– Нужно мне... такую малость,
Ну почти что ничего.

Нужен знак один согласья,
Что устал беречь ты жизнь,
Что о смертном молишь часе...

– Сам, выходит, подпишись? –
Смерть подумала.
– Ну что же, –
Подпишись, и на покой.
– Нет, уволь. Себе дороже.
– Не торгуйся, дорогой.

Все равно идешь на убыль. –
Смерть подвинулась к плечу. –
Все равно стянулись губы,
Стынут зубы...
– Не хочу.

– А смотри-ка, дело к ночи,
На мороз горит заря.
Я к тому, чтоб мне короче
И тебе не мерзнуть зря...

– Потерплю.
– Ну, что ты, глупый!
Ведь лежишь, всего свело.
Я б тебя тотчас тулупом,
Чтоб уже навек тепло.

'Hey, come on, you're not my mistress:
what is it you want from me?'

Death was taken a little aback,
and withdrew a step or two.
'What do I want? What do I lack?
Nothing, really ... nothing new.

All I need's a sign that you agree
that you're tired of pushing on,
that you yearn for Death to set you free ...'

'You mean, you'll give me something to sign?'
Death thought a little.
'Yes, why not?
Sign and you'll have peace and ease.'
'No, I'm worth much more than that.'
'Oh, come on, don't bargain, please.

You're done for, that's the short of it.'
Death bent down and said, 'Let's go.
'Your lips are freezing shut,
your teeth are chattering ...'
'I said no.'

'Oh, come on. Look, night is falling,
red sky at night means a heavy frost.
I'm on the clock, there's no point stalling:
all is lost, and you are lost ...'

'I will survive.'
'Come off it, idiot!
You're lying there and starting to freeze.
I could give you a lambskin coat
to keep you warm and at your ease.

Вижу, веришь. Вот и слезы,
Вот уж я тебе милей.

– Врешь, я плачу от мороза,
Не от жалости твоей.

– Что от счастья, что от боли –
Все равно. А холод лют.
Завилась поземка в поле.
Нет, тебя уж не найдут...

И зачем тебе, подумай,
Если кто и подберет.
Пожалеешь, что не умер
Здесь, на месте, без хлопот...

– Шутишь, Смерть, плетешь тенета.
Отвернул с трудом плечо.-
Мне как раз пожить охота,
Я и не жил-то еще...

– А и встанешь, толку мало, –
Продолжала Смерть, смеясь. –
А и встанешь – все сначала:
Холод, страх, усталость, грязь...
Ну-ка, сладко ли, дружище,
Рассуди-ка в простоте.

– Что судить! С войны не взыщешь
Ни в каком уже суде.

– А тоска, солдат, в придачу;
Как там дома, что с семьей?

You see, you get it. Now you're crying,
and see that I am in the right.'

'No, that's not it at all. You're lying:
it's the cold that makes me cry.'

'Cry from happiness, cry from pain,
it doesn't matter. Cold is king.
The snowstorm whirls across the plain.
They'll not find you, nor anything ...

And just think what's going to happen
even if they do find you.
You didn't die, but you'll be sad you didn't,
out here calmly, in the snow ...'

'You're just prick-teasing, Death,' he grunted,
and sighed as he turned his back.
'I'm here to live, like I've always wanted,
and aim to make my mark ...'

'Get on up, then, you'll be sorry,'
Death said with a grin.
'If you get up, it's all before you –
cold and pain, begin again ...
Just tell me if that's what you ask,
straight out, is that OK?'

'What do you mean? This is my task,
to fight till the war's out of the way.'

'What about your sad life, soldier;
your home and family?'

– Вот уж выполню задачу –
Кончу немца – и домой.

– Так. Допустим. Но тебе-то
И домой к чему прийти?,
Догола земля раздета
И разграблена, учти.
Все в забросе.

– Я работник,
Я бы дома в дело вник.
– Дом разрушен.
– Я и плотник...
– Печки нету.
– И печник...
Я от скуки – на все руки,
Буду жив – мое со мной.

– Дай еще сказать старухе:
Вдруг придешь с одной рукой?
Иль еще каким калекой, –
Сам себе и то постыл...

И со Смертью Человеку
Спорить стало свыше сил.
Истекал уже он кровью,
Коченел. Спускалась ночь...

– При одном моем условье,
Смерть, послушай... я не прочь...

И, томим тоской жестокой,
Одинок, и слаб, и мал,
Он с мольбой, не то с упреком
Уговариваться стал:

'I need to set this world in order:
smash the Nazis, then I'll be on my way.'

'Right. Let's say you do that, then.
Will you have a home remaining?
The land is stripped down to a ruin,
plundered till its strength is fading.
All's in pieces.'

'I'm a worker,
I'll sort my house out right away.'
'Your house is destroyed.'
'I'm a carpenter ...'
'Your stove's been smashed.'
'I can work with clay ...
Look, I'm pretty good with my hands,
and I think I more or less know how to deal ...'

'Oh, let me speak, a poor old woman:
what about if you're left a cripple?
Lose an arm or lose an eye,
that'll stop you being so cheery ...'

This arguing with Death that night
had tired the Man, he was so weary.
He was bleeding free and fast,
and night was falling. He was cold ...

'Look, I'll sign up with you at last,
but please, there's one more thing I'm owed ...'

And now, overwhelmed with sadness,
lonely, weary, weak as sin,
begging now, in his great tiredness,
Tyorkin tried to bargain:

– Я не худший и не лучший,
Что погибну на войне.
Но в конце ее, послушай,
Дашь ты на день отпуск мне?
Дашь ты мне в тот день последний,
В праздник славы мировой,
Услыхать салют победный,
Что раздастся над Москвой?
Дашь ты мне в тот день немножко
Погулять среди живых?
Дашь ты мне в одно окошко
Постучать в краях родных?
И как выйдут на крылечко, –
Смерть, а Смерть, еще мне там
Дашь сказать одно словечко?
Полсловечка?
– Нет. Не дам...

Дрогнул Теркин, замерзая
На постели снеговой.

– Так пошла ты прочь, Косая,
Я солдат еще живой.

Буду плакать, выть от боли,
Гибнуть в поле без следа,
Но тебе по доброй воле
Я не сдамся никогда.

– Погоди. Резон почище
Я найду, – подашь мне знак...

'I'm not the best and I'm not the worst
to die in this or any battle.
When it's over, can I rejoice
and celebrate with all the people?
Will you grant me one last day,
when the confetti and rice is thrown,
to hear the people shout "Hooray!"
and parties rage in Moscow?
Will you let me take that day
to walk among the living?
Will you let me tap like Cathy
on a window ... I mean like Heathcliff?
When my family comes outside,
oh Death, will you permit me to
say just one word, a sweet goodbye?'
'No, dear,
the answer's no ...'

Tyorkin shivered, cold and lonely,
on his frozen bed.

'Then be on your way, you bony
wench ... I'm not yet dead.

I shall weep and howl in pain,
and die without trace on this field,
but I'll never once give in
to you: I'll never yield.'

'Fair enough. I'll find a better
reason for you to sign ...'

– Стой! Идут за мною. Ищут.
Из санбата.
– Где, чудак?
– Вон, по стежке занесенной...

Смерть хохочет во весь рот:
– Из команды похоронной.
– Все равно: живой народ.

Снег шуршит, подходят двое.
Об лопату звякнул лом.

– Вот еще остался воин.
К ночи всех не уберем.

– А и то устали за день,
Доставай кисет, земляк.
На покойничке присядем
Да покурим натощак.

– Кабы, знаешь, до затяжки –
Щей горячих котелок.
– Кабы капельку из фляжки.
– Кабы так – один глоток.
– Или два...

И тут, хоть слабо,
Подал Теркин голос свой:
– Прогоните эту бабу,
Я солдат еще живой.

Смотрят люди: вот так штука!
Видят: верно, – жив солдат.

'Wait, they're coming for me. Here!'
'What's that,
oh lover mine?'
'Here, they're coming down the trail ...'

Death laughs and shows her teeth.
'That's the corpse-gatherers on patrol.'
'I don't care: they're alive.'

Crunch of snow, two people come over.
Crowbar banging on a spade.

'Here's another fallen soldier.
We'll never clear all the dead.'

'And the day's been pretty hard,
so why not roll me a gasper?
Let's sit down on this dead comrade
and get our shit together.'

'Maybe we should eat our chow first –
my mess-tin's full of cabbage soup.'
'Maybe we should hit my flask.'
'That's quite some plan, give me a shot.'
'Or maybe two ...'

And here, though weakly,
Tyorkin let his voice be heard:
'Get rid of this bony lady,
I'm still live and kicking, lads.'

They look around: what's going on?
But yes, it's true, the man's not dead.

– Что ты думаешь!
– А ну-ка,
Понесем его в санбат.

– Ну и редкостное дело, –
Рассуждают не спеша. –
Одно дело – просто тело,
А тут – тело и душа.

– Еле-еле душа в теле...
– Шутки, что ль, зазяб совсем.
А уж мы тебя хотели,
Понимаешь, в наркомзем...

– Не толкуй. Заждался малый.
Вырубай шинель во льду.
Поднимай.

А Смерть сказала:
– Я, однако, вслед пойду.

Земляки – они к работе
Приспособлены к иной.
Врете, мыслит, растрясете
И еще он будет мой.

Два ремня да две лопаты,
Две шинели поперек.
– Береги, солдат, солдата.
– Понесли. Терпи, дружок.

Норовят, чтоб меньше тряски,
Чтоб ровнее как-нибудь,
Берегут, несут с опаской:
Смерть сторонкой держит путь.

'What d'you reckon?'
'What do *I* reckon?
Let's get him to a hospital bed.'

'It's a rare thing, out of the ordinary,
but we can deal with it as well.
Sometimes a body's just a body,
but this is a body with a soul.'

'Well, my soul's just about in place ...'
'You speak the truth, you're pretty lucky.
We might have had to find you space
on the Devil's Central Committee ...'

'Don't push so much. Let's get a move on.
Cut his coat from out the ice.
One, two, three ... heave!'

Death, *sotto voce*:
'I'll stick with him, he'll pay the price.

They're peasants, and they're pretty used
to work of other sorts.
They'll shake him and shiver him, cook his goose
and I'll still get my corpse.'

Two leather belts and two metal shovels,
two army greatcoats bound across tight.
'Soldier, careful with the soldier.'
'I've got him. Hey, you'll be alright.'

They try their best to keep him comfy,
make sure he's level as he rides,
they carry him most carefully:
and Death walks slowly at their side.

А дорога – не дорога, –
Целина, по пояс снег.
– Отдохнули б вы немного,
Хлопцы...
– Милый человек, –
Говорит земляк толково, –
Не тревожься, не жалей.
Потому несем живого,
Мертвый вдвое тяжелей.
А другой:
– Оно известно.
А еще и то учесть,
Что живой спешит до места, –
Мертвый дома – где ни есть.

– Дело, стало быть, в привычке, –
Заключают земляки.-
Что ж ты, друг, без рукавички?
На-ко теплую, с руки...

И подумала впервые
Смерть, следя со стороны:
"До чего они, живые,
Меж собой свои – дружны.
Потому и с одиночкой
Сладить надобно суметь,
Нехотя даешь отсрочку".

И, вздохнув, отстала Смерть.

The road him is no road at all:
it's untilled soil, waist-deep in snow.
'Hey, if you want to make a pause,
lads ...'
'No, that's alright, you know,'
one of the peasants says quite chattily,
'don't worry about us, kid.
You're alive, so we'll move you happily;
you'd weigh much more if you were dead.'
His friend chimes in:
'That's the truth, yes,
and I'll tell you the reason why.
A live man's trying to find his place,
and a dead man's home already.'

That's one way of seeing it,
the two of them conclude.
'What's up, mate, have you lost your glove?'
'Take mine, you've got more need ...'

And as she still paced on beside them,
Death thought of her failed lover:
'That's what they've got, this love inside them
that binds them to one another.
It's only when their on their own
that I can win the day,
and so I guess I'll leave this one.'

With a sigh, Death walked away.

Тёркин пишет

...И могу вам сообщить
Из своей палаты,
Что, большой любитель жить,
Выжил я, ребята.

И хотя натер бока,
Належался лежнем,
Говорят, зато нога
Будет лучше прежней.

И намерен я опять
Вскоре без подмоги
Той ногой траву топтать,
Встав на обе ноги...

Озабочен я сейчас
Лишь одной задачей,
Чтоб попасть в родную часть,
Никуда иначе.

С нею жил и воевал,
Курс наук усвоил.
Отступая, пыль глотал,
Наступая, снег черпал
Валенками воин.

И покуда что она
Для меня – солдата –
Все на свете, все сполна:
И родная сторона,
И семья, и хата.

Tyorkin Writes a Letter

'... and I think that I can write
from this, my hospital ward,
that, as someone who loves to be alive,
I guess you could say I've scored.

And although I'm laid here flat,
and have too long lain here,
they say I'll soon be up and about
and better than before.

I've made up my mind, I'm very sure
that soon, without support,
I'll step out onto the grass once more
and stand on my own two feet ...

There's just one thing that worries me,
a task that keeps me busy:
how to get back to my company;
I know it won't be easy.

I lived with them and fought my best,
and learned all that I know.
When we withdrew I choked on dust,
and wet my feet when we forward rushed
through heaps of bloody snow.

And so it's true that my company –
for me, a common soldier –
is everything in the world to me,
my bed, my hearth, my family,
my food, my Red October.

И охота мне скорей
К ней в ряды вклиниться
И, дождавшись добрых дней,
По Смоленщине своей
Топать до границы.

Впрочем, даже суть не в том,
Я скажу точнее:
Доведись другим путем
До конца идти, – пойдем,
Где угодно, с нею!

Если ж пуля в третий раз
Клюнет насмерть, злая,
То по крайности средь вас,
Братцы, свой последний час
Встретить я желаю.

Только с этим мы спешить
Без нужды не станем.
Я большой любитель жить,
Как сказал заране.

И, поскольку я спешу
Повстречаться с вами,
Генералу напишу
Теми же словами.

Полагаю, генерал
Как-никак уважит, –
Он мне орден выдавал,
В просьбе не откажет.

And I hope that I will soon
get back to where my troops are
and live with them till that great time
when we return to that Smolensk of mine
and reach the German border.

But that's not really what I mean:
let me say things more clearly:
if I need, with all my men,
to march off somewhere else again,
I'd do it, now and cheerily!

And if the third bullet with my name on
is the one that finally kills me,
then let me die among my men,
and if I'm there for my final breath
I'll draw it happily.

But let's keep our heads on, guys,
and not say anything hasty.
As I said, I love to be alive,
and don't want to die.

And because I really want
to be with you straight away,
I'll send a letter to the adjutant
to say that I'm OK.

And I guess, because the general
gave me a medal himself,
he'll be inclined to think full well
of this plea on my behalf.

За письмом, надеюсь, вслед
Буду сам обратно...
Ну и повару привет
От меня двукратный.

Пусть и впредь готовят так,
Заправляя жирно,
Чтоб в котле стоял черпак
По команде "смирно"...

И одним слова свои
Заключить хочу я:
Что великие бои,
Как погоду, чую.

Так бывает у коня
Чувство близкой свадьбы...
До того большого дня
Мне без палок встать бы!

Сплю скорей да жду вестей.
Все сказал до корки...
Обнимаю вас, чертей.
Ваш
  Василий Теркин.

First the letter, then the man
snapping on its heels ...
You'd better tell the cook he can
save me at least two meals.

And he should make the soup so thick,
so rich and fatty and firm,
that the ladle should stand up in it
as though it'd been called to attention ...

And I want to finish off
with just one final word:
I think that there's some major stuff
getting ready to occur.

You know how horses sniff and prance
when they sense a wedding ...
Well, it's not a wedding dance
for which I'll be preparing!

I'll sleep and hope you send some news.
I hope I've got all my words in ...
Here's to you all, you happy few.
Yours,
Vasili Tyorkin.

Тёркин-Тёркин

Чья-то печка, чья-то хата,
На дрова распилен хлев...
Кто назябся – дело свято,
Тому надо обогрев.

Дело свято – чья там хата,
Кто их нынче разберет.
Грейся, радуйся, ребята,
Сборный, смешанный народ.

На полу тебе солома,
Задремалось, так ложись.
Не у тещи, и не дома,
Не в раю, однако, жизнь.

Тот сидит, разувши ногу,
Приподняв, глядит на свет.
Всю ощупывает строго, –
Узнает – его иль нет.

Тот, шинель смахнув без страху,
Высоко задрав рубаху,
Прямо в печку хочет влезть.

– Не один ты, братец, здесь.
– Отслонитесь, хлопцы. Темень...
– Что ты, правда, как тот немец...
– Нынче немец сам не тот.
– Ну, брат, он еще дает,
Отпускает, не скупится...
– Все же с прежним не сравнится, –
Снял сапог с одной ноги.
– Дело ясное, – беги!

Tyorkin and Tyorkin

Someone's stove, someone's hut,
a stable sawn for firewood ...
If you're cold, then it's your duty
to sit and warm up good.

Your duty, whoever's hut it is –
and no one knows that any more.
Warm yourself, relax, you guys,
you random selection of soldiers.

On the floor there's plenty of straw:
lie down and doze right off.
It's not your own house, or your in-laws',
but it's nice enough.

Here sits a man without his boots on,
holding a boot to the light.
He feels it from top to bottom,
to see if it's his, or not.

Here's a man without his jacket,
who's rolled up the sleeves of his shirt,
who wants to clamber in the stove.

'You're not the only one here, love.'
'Hey, shift a bit, you're blocking the light ...'
'You're as bad as that German last night ...'
'Even the Germans aren't what they were.'
'Good or bad, he is still here,
shooting when he gets the chance ...'
'Don't compare it with the past,'
says a man with one boot on.
'One thing is clear, he's on the run!'

– Охо-хо. Война, ребятки.
– А ты думал! Вот чудак.
– Лучше нет – чайку в достатке,
Хмель – он греет, да не так.

– Это чья же установка
Греться чаем? Вот и врешь.
– Эй, не ставь к огню винтовку...
– А еще кулеш хорош...

Опрокинутый истомой,
Теркин дремлет на спине,
От беседы в стороне.
Так ли, сяк ли, Теркин дома,
То есть – снова на войне...

Это раненым известно:
Воротись ты в полк родной –
Все не то: иное место
И народ уже иной.

Прибаутки, поговорки
Не такие ловит слух...
– Где-то наш Василий Теркин? –
Это слышит Теркин вдруг.

Привстает, шурша соломой,
Что там дальше – подстеречь.
Никому он не знакомый –
И о нем как будто речь.

‘Well, well, well. He’ll come a cropper.’
‘Right, you reckon! Einstein here ...’
‘Nothing better than a cuppa;
you’ll never warm up drinking beer.’

‘But who in this here bivouac
wants to drink tea? You’re talking rot.’
‘Hey, the stove’s no place to stick
your rifle ...’ ‘Get it while it’s hot ...’

Baffled and exhausted,
Tyorkin slumbers on his back,
as the conversations flake.
Tyorkin’s back at home again;
for him his home is with his men ...

Wounded soldiers know the feeling:
go back to your men again,
and all has changed – a different station,
and even different men.

The in-jokes change, and all the stories,
not what they were before ...
‘Where’s our Tyorkin, then? Vasili?’
strikes upon Tyorkin’s ear.

He sits up, the straw is rustling,
sits and listens, keeping schtum.
No one here knows owt about him –
but they’ve mentioned him by name.

Но сквозь шум и гам веселый,
Что кипел вокруг огня,
Вот он слышит новый голос:
– Это кто там про меня?..

– Про тебя? –
Без оговорки
Тот опять:
– Само собой.
– Почему?
– Так я же Теркин.

Это слышит Теркин мой.

Что-то странное творится,
Непонятное уму.
Повернулись тотчас лица
Молча к Теркину. К тому.

Люди вроде оробели:
– Теркин – лично?
– Я и есть.
– В самом деле?
– В самом деле.
– Хлопцы, хлопцы, Теркин здесь!

– Не свернете ли махорки? –
Кто-то вытащил кисет.
И не мой, а тот уж Теркин
Говорит:
– Махорки? Нет.

But through all the cheerful noise
of people sitting round the fire,
he ups and hears a novel voice:
'Is it me you're looking for?'

'Looking for you?'
No hesitation.
The man replies:
'That's right.'
'And why is that?'
'Because I'm Tyorkin.'

This knocks our Tyorkin flat.

Something strange is going on,
that he can't understand really.
Now everyone in the camp turns round
to look at this new Vasili.

The men themselves seem slightly shy:
'So you are Tyorkin?'
'Yup.'
'Really, truly?'
'Really, truly.'
'Lads! Tyorkin's showed up!'

'Would you like to roll a gasper?'
Someone offers a cigarette.
And this newly-invented figure
says:
'Tobacco? *Nyet*.'

Теркин мой – к огню поближе,
Отгибает воротник.
Поглядит, а он-то рыжий –
Теркин тот, его двойник.

Если б попросту махорки
Теркин выкурил второй,
И не встрял бы, может, Теркин,
Промолчал бы мой герой.

Но, поскольку водит носом,
Задается человек,
Теркин мой к нему с вопросом:
– А у вас небось "Казбек"?

Тот помедлил чуть с ответом:
Мол, не понял ничего.
– Что ж, трофейной сигаретой
Угощу. –
Возьми его!

Видит мой Василий Теркин –
Не с того зашел конца.
И не то чтоб чувством горьким
Укололо молодца, –

Не любил людей спесивых,
И, обиду затая,
Он сказал, вздохнув лениво:
– Все же Теркин – это я...

My Tyorkin shuffles to the fire,
and turns his coat-collar down.
So, turns out he's got red hair
this pseudo-Tyorkin clown.

If this second Tyorkin had
just taken the cigarette on offer,
then my Tyorkin wouldn't have said
a word, mouth tight as a coffer.

But since Tyorkin Two was swanking,
trying to show off,
Tyorkin One stepped right in, asking:
'You smoke pre-rolled, of course?'

Tyorkin Two seemed a little shaken:
he tried to think of an answer.
'No, I only smoke the fags I've taken
from the Nazis.'
            'Ooh, get her!'

And now my Vasili Tyorkin
sees that something's wrong.
It's not the case at all that he's been
made to feel small, or stung,

but he doesn't like a show-off,
and, hiding how he really feels,
he sighed – hey lads, enough's enough –
'No, look. Tyorkin, that's me ...'

Смех, волненье.
– Новый Теркин!
– Хлопцы, двое...
– Вот беда...
– Как дойдет их до пятерки,
Разбудите нас тогда.

– Нет, брат, шутишь, – отвечает
Теркин тот, поджав губу, –
Теркин – я.

– Да кто их знает, –
Не написано на лбу.

Из кармана гимнастерки
Рыжий – книжку:
– Что ж я вам...

– Точно: Теркин...
– Только Теркин
Не Василий, а Иван.

Но, уже с насмешкой глядя,
Тот ответил моему:

– Ты пойми, что рифмы ради
Можно сделать хоть Фому.

Этот выдохнул затяжку:
– Да, но Теркин-то – герой.

Laughter, uproar:
'Another Tyorkin!'
'Lads, there's two of them ...'
'Enough ...'
'Look, I'm going to turn in,
wake me when they get to five.'

'No, you must be talking rot,'
biting his lip, Tyorkin Two said.
'Tyorkin's me.'

'How'd you know? It's not ...
It's not painted on our heads.'

From the pocket of his tunic
Two-kin takes his papers:
'Here I am ...'

'I see, Tyorkin...'
'Yes, it's Tyorkin,
but not Vasili; you're Ivan.'

With a smirk, Two-kin says to One-kin,
as though it might win him the game:

'If you want, call me Foma and not Ivan:
whichever one best fits your rhyme.'

One-kin breathes a cloud of smoke:
'Well, this Tyorkin is a hero.'

Тот шинелку нараспашку:
– Вот вам орден, вот другой,
Вот вам Теркин-бронебойщик,
Верьте слову, не молве.
И машин подбил я больше –
Не одну, а целых две...

Теркин будто бы растерян,
Грустно щурится в огонь.
– Я бы мог тебя проверить,
Будь бы здесь у нас гармонь.

Все кругом:
– Гармонь найдется,
Есть у старшего.
– Не тронь.
– Что не тронь?
– Смотри, проснется...
– Пусть проснется.
– Есть гармонь!

Только взял боец трехрядку,
Сразу видно: гармонист.
Для началу, для порядку
Кинул пальцы сверху вниз.

И к мехам припал щекою,
Строг и важен, хоть не брит,
И про вечер над рекою
Завернул, завел навзрыд...

Теркин мой махнул рукою:
– Ладно. Можешь, – говорит, –
Но одно тебя, брат, губит:
Рыжесть Теркину нейдет.

Two-kin opens up his coat:
'You want medals? There's a couple here,
this one for Armourpiercing Tyorkin:
the medal they give you for fighting tanks.
And I didn't only take down one,
but two of the bastards, from the ranks ...'

Real Tyorkin seems a little stressed
and looks down sadly at the fire.
'I'd be able to put you to the test
if I only had my accordion here.'

General murmur:
'Find an accordion;
the sergeant's got one.'
'Don't take his.'
'What do you mean?'
'Just look, he's sleeping ...'
'So wake him up, then.'
'Here it is!'

No sooner had this nouveau Tyorkin
picked up the instrument, it was clear
he knew how to handle an accordion:
up and down the keyboard ran his fingers.

He pressed his cheek against the bellows,
strong and powerful, though unshaven,
and played a mournful song, of willows
weeping over a river scene ...

Tyorkin, the real Tyorkin, shrugged:
'Fine. You've made your point,' he said.
'But there's one point where you've screwed up:
a real Tyorkin's not a redhead.'

– Рыжих девки больше любят, –
Отвечает Теркин тот.

Теркин сам уже хохочет,
Сердцем щедрым наделен.
И не так уже хлопочет
За себя, – что Теркин он.

Чуть обидно, да приятно,
Что такой же рядом с ним.
Непонятно, да занятно
Всем ребятам остальным.

Молвит Теркин:
– Сделай милость,
Будь ты Теркин насовсем.
И пускай однофамилец
Буду я...;

А тот:
– Зачем?..
– Кто же Теркин?
– Ну и лихо!.. –
Хохот, шум, неразбериха...

Встал какой-то старшина
Да как крикнет:
– Тишина!

Что вы тут не разберете,
Не поймете меж собой?
По уставу каждой роте
Будет придан Теркин свой,

'Every nice girl loves a ginger,'
Tyorkin Two said brazenly.

Tyorkin laughed; he couldn't help it,
he's a generous kind of man.
He seemed a little less intent
to prove that he was the real one.

He was slightly offended, but slightly pleased
to find that he had a doppelganger.
And the other soldiers felt at their ease
now the confrontation seemed to be over.

Tyorkin said:
'Do me a solid,
You be Tyorkin from now on.
And I'll stand down
and just be no one ...'

And Two-Kin answered
'Hunh?'
'Who is Tyorkin?'
'I'm confused ...!'
Noise and arguments all fused ...

And then, to halt a potential riot
a sergeant stood up and yelled:
'Quiet!

'What's the meaning of this disorder:
can't you get things back on track?
Alright, now I'll give the order,
and put a Tyorkin in every barracks.

Слышно всем? Порядок ясен?
Жалоб нету? Ни одной?
Разойдись!

И я согласен
С этим строгим старшиной.
Я бы, может быть, и взводам
Придал Теркина в друзья...

Впрочем, все тут мимоходом
К разговору вставил я.

Do you get that? Is that quite clear?
No complaints? You're all onboard?
Right, dismiss!'

            I like his idea,
this officer's way to get order restored.
I'd put a Tyorkin in every company
if the choice were mine ...

By the way, this whole long story
is just to pass the time.

От автора

По которой речке плыть, –
Той и славушку творить...

С первых дней годины горькой,
В тяжкий час земли родной,
Не шутя, Василий Теркин,
Подружились мы с тобой.

Но еще не знал я, право,
Что с печатного столбца
Всем придешься ты по нраву,
А иным войдешь в сердца.

До войны едва в помине
Был ты, Теркин, на Руси.
Теркин? Кто такой? А ныне
Теркин – кто такой? – спроси.

– Теркин, как же!
– Знаем.
– Дорог.
– Парень свой, как говорят.

– Словом, Теркин, тот, который
На войне лихой солдат,
На гулянке гость не лишний,
На работе – хоть куда...

Жаль, давно его не слышно,
Может, что худое вышло?
Может, с Теркиным беда?

Author's Note

Whichever stream that carries you,
find a way to sing it true ...

Right from the start of this bitter time,
these difficult years for the motherland,
Vasili Tyorkin, you and I,
no doubts about it, have been friends.

But I didn't know (how could I?)
that you'd leave the newspaper
and be a hit with everybody,
striking into the hearts of others.

Before the war you weren't that famous,
were you, Tyorkin, all over Russia.
Tyorkin? Who's that? But now if you ask
'Tyorkin? Who's that?' you'll get an answer.

'Tyorkin, of course!'
'We know him.'
'Like him.'
'He's one of us,' is what they say.

'In a word, Vasili Tyorkin
is a bold fighter in the infantry,
a welcome guest at any party,
a welcome worker in any team ...

But we haven't heard from him recently,
has fate dealt with him decently?
Tell me, Tyorkin, how's he been?'

– Не могло того случиться.
– Не похоже.
– Враки.
– Вздор...

– Как же, если очевидца
Подвозил один шофер.

В том бою лежали рядом,
Теркин будто бы привстал,
В тот же миг его снарядом
Бронебойным – наповал.

– Нет, снаряд ударил мимо.
А слыхали так, что мина...

– Пуля-дура...
– А у нас
Говорили, что фугас.

– Пуля, бомба или мина –
Все равно, не в том вопрос.
А слова перед кончиной
Он какие произнес?.

– Говорил насчет победы.
Мол, вперед. Примерно так...

– Жаль, – сказал, – что до обеда
Я убитый, натощак.
Неизвестно, мол, ребята,
Отправляясь на тот свет,
Как там, что: без аттестата
Признают нас или нет?

'There's nothing bad that could have happened.'
'It's unlikely.'
'Rubbish.'
'Rot.'

'But listen to this, a friend of a friend
was being driven to the front,

and he said that the Nazi guns
were firing, and Tyorkin got up,
and a heavy shell, at that very moment,
picked him out and blew him up.'

'No, the shell went overhead.
I heard it was a mine that left him dead.'

'Or a bullet ...'
'They told me
it was a Nazi IED.'

'Bullet, mine or heavy shell,
it doesn't really matter.
Did he say anything at all
before he died like a soldier?'

'He spoke a bit about victory.
He said, "Forwards!". All that jazz ...'

'He said it was a shame to die
before he'd been called to mess.
And then he said that he was going
to another world, far away,
and would they have any way of knowing
who he was without his papers?'

– Нет, иное почему-то
Слышал раненый боец.
Молвил Теркин в ту минуту:
"Мне – конец, войне – конец".

Если так, тогда не верьте,
Разве это невдомек:
Не подвержен Теркин смерти,
Коль войне не вышел срок...

Шутки, слухи в этом духе
Автор слышит не впервой.
Правда правдой остается,
А молва себе – молвой.

Нет, товарищи, герою,
Столько лямку протащив,
Выходить теперь из строя? –
Извините! – Теркин жив!

Жив-здоров. Бодрей, чем прежде.
Помирать? Наоборот,
Я в такой теперь надежде:
Он меня переживет.

Все худое он изведал,
Он терял родимый край
И одну политбеседу
Повторял:
– Не унывай!

С первых дней годины горькой
Мир слыхал сквозь грозный гром,
Повторял Василий Теркин:
– Перетерпим. Перетрем...

'No, another fellow heard him,
as he lay there, the dying soldier.
And as he snuffed it, Vasya Tyorkin
said: "If I'm over, so's the war."'

If that's the case, don't you believe it,
it must be a lie:
how can Tyorkin's life be over
when the war's still passing by ...

This is not the first time I've
heard jokes and rumours of this kind.
But the truth is still the truth
and lies are still just lies.

No, my comrades, here's a hero
who's made it through all this time,
and what? You think he'll fall and shrivel?
No! Tyorkin's alive!

Alive and well and much more cheerful.
Tyorkin? Die? Quite the reverse,
and in fact I'm now quite hopeful
that I will die first.

He's lived through the very worst,
and lost his native land,
and his only political advice
has been:
'Don't give up! Don't give in!'

From the first few bitter days,
the world has heard through the cannons' thunder
the voice of Tyorkin as he says:
'We won't give up. We won't go under ...'

Нипочем труды и муки,
Горечь бедствий и потерь.
А кому же книги в руки,
Как не Теркину теперь?!

Рассуди-ка, друг-товарищ,
Посмотри-ка, где ты вновь
На привалах кашу варишь,
В деревнях грызешь морковь.

Снова воду привелося
Из какой черпать реки!
Где стучат твои колеса,
Где ступают сапоги!

Оглянись, как встал с рассвета
Или ночь не спал, солдат,
Был иль не был здесь два лета,
Две зимы тому назад.

Вся она – от Подмосковья
И от Волжского верховья
До Днепра и Заднепровья –
Вдаль на запад сторона, –
Прежде отданная с кровью,
Кровью вновь возвращена.

Вновь отныне это свято:
Где ни свет, то наша хата,
Где ни дым, то наш костер,
Где ни стук, то наш топор,
Что ни груз идет куда-то, –
Наш маршрут и наш мотор!

We may suffer and be tormented,
but our loss we'll count for nought.
Who else but our Vasya Tyorkin
will fight as to the end we've fought?

Think about it, friend and comrade,
look around you, where you halt,
the hamlet where you break your bread,
the village where you eat your salt.

Water once more scooped to drink
from a river you have known.
The road crossed by a Russian tank,
the road the soldiers' boots march down!

Look around, when you wake at dawn
or stand after a sleepless night,
this is land you once have known,
two winters back, at the start of the fight.

All this land, from the Moscow district
and the Volga's upper reaches,
from the Dnepr and the land that bounds it
deep into the Western Marches ...
lands lost with so much blood and pain
with pain and blood have been regained.

Here again, the holy things:
if there's a light, it's from our home,
if there is smoke, it's from our stove,
as wood is chopped it's our axe that sings,
and if a lorry hauls its load,
then it's our engine and it's our road!

И такую-то махину,
Где гони, гони машину, –
Есть где ехать вдаль и вширь,
Он пешком, не вполовину,
Всю промерил, богатырь.

Богатырь не тот, что в сказке –
Беззаботный великан,
А в походной запояске,
Человек простой закваски,
Что в бою не чужд опаски,
Коль не пьян. А он не пьян.

Но покуда вздох в запасе,
Толку нет о смертном часе.
В муках тверд и в горе горд,
Теркин жив и весел, черт!

Праздник близок, мать-Россия,
Оберни на запад взгляд:
Далеко ушел Василий,
Вася Теркин, твой солдат.

То серьезный, то потешный,
Нипочем, что дождь, что снег, –
В бой, вперед, в огонь кромешный
Он идет, святой и грешный,
Русский чудо-человек.

Разносись, молва, по свету:
Объявился старый друг...
– Ну-ка, к свету.
– Ну-ка, вслух.

The land we lost and then won back:
you'd need a lorry to drive the route –
but our hero covered the whole damn track,
stepping out day by day to walk
and fight for this land on foot.

He's not a hero from a tale,
a carefree giant on a spree,
but a normal Russian male,
in the uniform of the infantry,
feeling no fear, unwilling to fail
when he's not drunk. Drunk? Not he.

He takes a pause to take a breath,
but even then no thought of death.
When torment comes he's hard as granite:
Tyorkin's healthy and living, dammit!

Russia, you'll soon have victory,
just look out to the west:
he's come a long way, your Vasili,
your Tyorkin, one of your best.

He may be happy, or subdued;
he doesn't care about rain or snow,
but whatever the weather, whatever his mood
he marches on, both bad and good,
this Russian man, this hero.

He's been ordered near and far,
but home he's made his way ...
'Welcome back, you wandering star.'
'What have you got to say?'

Дед и баба

Третье лето. Третья осень.
Третья озимь ждет весны.
О своих нет-нет и спросим
Или вспомним средь войны.

Вспомним с нами отступавших,
Воевавших год иль час,
Павших, без вести пропавших,
С кем видались мы хоть раз,
Провожавших, вновь встречавших,
Нам попить воды подавших,
Помолившихся за нас.

Вспомним вьюгу-завируху
Прифронтовой полосы,
Хату с дедом и старухой,
Где наш друг чинил часы.

Им бы не было износу
Впредь до будущей войны,
Но, как водится, без спросу
Снял их немец со стены:

То ли вещью драгоценной
Те куранты посчитал,
То ль решил с нужды военной, –
Как-никак цветной металл.

Шла зима, весна и лето.
Немец жить велел живым.
Шла война далеко где-то
Чередом глухим своим.

Grandfather, Grandmother

The third long summer. The third long autumn.
The third winter sowing awaits the spring.
We sometimes think about our friends
and family, amid the fighting.

We remember those who were retreating,
who fought with us an hour, a year,
who died or were reported missing,
whom we'd only met once before,
whom we'd parted from before new meeting,
who'd brought us water from the spring,
who'd prayed for us in the midst of war.

We remember the whirling snowstorms
in the zones around the front,
and the clock that Vasya Tyorkin
mended in that couple's hut.

It would have made it, no complaining,
all the way to the next war,
but, as happens, without explaining,
some Nazi took it off the wall:

maybe because he thought that it
had some kind of value,
or because the war required it:
armies need their metal.

The winter passed, and spring and summer.
The Nazi made himself at home.
And elsewhere, somewhere over there,
the war forged on with its tedium.

И в твоей родимой речке
Мылся немец тыловой.
На твоем сидел крылечке
С непокрытой головой.

И кругом его порядки,
И немецкий, привозной
На смоленской узкой грядке
Зеленел салат весной.

И ходил сторонкой, боком
Ты по улочке своей, –
Уберегся ненароком,
Жить живи, дышать не смей.

Так и жили дед да баба
Без часов своих давно,
И уже светилось слабо
На пустой стене пятно...

Но со страстью неизменной
Дед судил, рядил, гадал
О кампании военной,
Как в отставке генерал.
На дорожке возле хаты
Костылем старик чертил
Окруженья и охваты,
Фланги, клинья, рейды в тыл...

And in your little native stream,
the rearguard Nazi washed.
And sat on your porch to doze and dream
with half his uniform off.

And all around him, Teutonic order,
German salad, brought all the way
to this little Smolensk garden
in all its greenish finery.

And carefully, sidling along,
you walk down your own path:
still alive by chance alone,
afraid to live and breathe.

This is how granddad and grandma
had both survived – no clock, nothing –
and the shiny patch grew duller
where the clock had hung ...

But, overwhelmed with loyal passion,
granddad judged and thought and guessed
about the outcome of the campaign,
as though he were obsessed.
On the ground outside his hut
the old man scratched his maps:
terrain, defences, all marked out,
with flanks and raids and troops ...

– Что ж, за чем там остановка? –
Спросят люди. – Срок не мал...

Дед-солдат моргал неловко,
Кашлял:
– Перегруппировка...-
И таинственно вздыхал.

У людей уже украдкой
Наготове был упрек,
Словно добрую догадку
Дед по скупости берег.

Словно думал подороже
Запросить с души живой.
– Дед, когда же?
– Дед, ну что же?
– Где ж он, дед, Буденный твой?

И едва войны погудки
Заводил вдали восток,
Дед, не медля ни минутки,
Объявил, что грянул срок.

Отличал тотчас по слуху
Грохот наших батарей.
Бегал, топал:
– Дай им духу!
Дай еще! Добавь! Прогрей!

Но стихала канонада,
Потухал зарниц пожар.
– Дед, ну что же?
– Думать надо,
Здесь не главный был удар.

'Well, what's up, why the delay?'
the people asked. 'They're hanging fire ...'

Granddad-soldier smiled uneasily,
coughed and said:
'They're on their way ...'
then gave a secret sigh.

Everyone was so on edge,
they started to feel suspicious,
that maybe good old granddad
didn't know much about the mission.

As though it might be hard for him
to give them proper news.
'Granddad, what?'
'Say, granddad, when?'
'Which troops are on the move?'

If there came the sounds of war
from somewhere in the east,
then granddad would at once declare,
that relief came at last.

He by sound could well distinguish
the thunder of our guns.
He'd dance and caper,
shout in relish:
'That's it! Here they come!'

But when the cannonade grew silent,
and light faded in the sky ...
'Grandad, what's up?'
'Just a minute,
the main attack didn't come this way.'

И уже казалось деду, –
Сам хотел того иль нет, –
Перед всеми за победу
Лично он держал ответ.

И, тая свою кручину,
Для всего на свете он
И угадывал причину,
И придумывал резон.

Но когда пора настала,
Долгожданный вышел срок,
То впервые воин старый
Ничего сказать не мог...

Все тревоги, все заботы
У людей слились в одну:
Чтоб за час до той свободы
Не постигла смерть в плену.

***

В ночь, как все, старик с женой
Поселились в яме.
А война – не стороной,
Нет, над головами.

Довелось под старость лет:
Ни в пути, ни дома,
А у входа на тот свет
Ждать в часы приема.

Grandad felt, or started to feel –
whether he wanted to or not –
that he was responsible
for the success of each assault.

So he hid his own annoyance,
and for every action in the war
he thought up convincing reasons
to explain what aims they were fighting for.

But when the big day came at last,
the time they'd waited for so long,
for once the old man didn't have
a reason at the tip of his tongue ...

All his worries and anxiety
came together with his pride:
his only goal was not to die
with his village still occupied.

***

Old man, old wife, like everyone,
got into their shelter at night.
And the war did not move on,
but stalled above their beds.

They'd made it a good old age,
and here they were, not on the road,
but sitting in the entryway
to their home in another world.

Под накатом из жердей,
На мешке картошки,
С узелком, с горшком углей,
С курицей в лукошке...

Две войны прошел солдат
Целый, невредимый.
Пощади его, снаряд,
В конопле родимой!

Просвисти над головой,
Но вблизи не падай,
Даже если ты и свой, –
Все равно не надо!

Мелко крестится жена,
Сам не скроешь дрожи!
Ведь живая смерть страшна
И солдату тоже.

Стихнул грохот огневой
С полночи впервые.
Вдруг – шаги за коноплей.
– Ну, идут... немые...

По картофельным рядам
К погребушке прямо.
– Ну, старик, не выйти нам
Из готовой ямы.

Но старик встает, плюет
По-мужицки в руку,
За топор – и наперед:
Заслонил старуху.

Underneath a wooden roof,
sitting on sacks of possessions,
a burner of coals and bundles of
potatoes, cloth and chickens ...

The old man had lived two wars right through,
uninjured and unscathed.
Oh, shell, don't hurt him, let him go
in this land he's always loved!

Pass on, pass on, pass on over,
and nearby don't you land:
even if you're friendly fire,
we don't want to be close friends!

Grandma quickly crossed herself,
unable to hide how she shivered!
Everyone's afraid of death,
both soldier and civilian.

The firing only began to slow
when midnight came around.
Suddenly, feet in the undergrowth.
'They're here .... Don't make a sound ...'

Right along the rows of spuds,
directly to the shelter.
'Well, old man, no getting out:
our grave will be in this cellar.'

The old man gets up and stands
ready to defend his wife:
he grabs an axe, spits on his hands,
prepared to give his life.

Гибель верную свою,
Как тот миг ни горек,
Порешил встречать в бою,
Держит свой топорик.

Вот шаги у края – стоп!
И на шубу глухо
Осыпается окоп.
Обмерла старуха.

Все же вроде как жива, –
Наше место свято, –
Слышит русские слова:
– Жители, ребята?..

– Детки! Родненькие... Детки!..
Уронил топорик дед.
– Мы, отец, еще в разведке,
Тех встречай, что будут вслед.

На подбор орлы-ребята,
Молодец до молодца.
И старшой у аппарата, –
Хоть ты что, знаком с лица.

– Закурить? Верти, папаша.-
Дед садится, вытер лоб.
– Ну, ребята, счастье ваше –
Голос подали. А то б...

И старшой ему кивает:
– Ничего. На том стоим.
На войне, отец, бывает –
Попадает по своим.

His fate may be a bloody one;
life is a lot to ask,
but he's prepared to meet it head-on,
holding his little axe.

Steps come to the door and ... stop!
Down onto her coat
a bit of dirt from the ceiling drops.
The old woman nearly faints.

But the lady's still alive –
still safe within the shelter –
and then they hear some Russian guy:
'Is there anybody in there?'

'You... you're Russians! You're with us!'
The old man drops his axe.
'Listen, granddad, we're just the advance,
just wait to see who comes next.'

Patrol's made up of the best soldiers,
fine young fellows all.
And the radio operator ...
He's seen that face before.

'You want a smoke? Here, roll one, granddad.'
The old man sits and wipes his face.
'Well, kids, you nearly caught it bad,
good thing I heard your voice ...'

The senior man nods seriously:
'No worries. It sometimes happens.
Some soldiers react so eagerly,
so quick to use their weapons.'

– Точно так. – И тут бы деду
В самый раз, что покурить,
В самый раз продлить беседу:
Столько ждал! – Поговорить.

Но они спешат не в шутку.
И еще не снялся дым...
– Погоди, отец, минутку,
Дай сперва освободим...

Молодец ему при этом
Подмигнул для красоты,
И его по всем приметам
Дед узнал:
– Так это ж ты!

Друг-знакомец, мастер-ухарь,
С кем сидели у стола.
Погляди скорей, старуха!
Узнаешь его, орла?

Та как глянула:
– Сыночек!
Голубочек. Вот уж гость.
Может, сала съешь кусочек,
Воевал, устал небось?

Смотрит он, шутник тот самый:
– Закусить бы счел за честь,
Но ведь нету, бабка, сала?
– Да и нет, а все же есть...

'That's the way it is.' And the old man
as they all sit there smoking,
wants nothing more than to carry on
(it's been so long!), carry on talking.

But the soldiers must get going,
don't wait for the smoke to dissipate ...
'Come on, old man, no time for talking:
there's much more land to liberate ...'

Then the radio operator
winked in a way they knew,
and the old man coughed and stuttered,
and recognised him:
'You!

It's you, the one who fixed our clock,
who ate with us that night.
Come on, wife, and take a look!
You recognise him, right?'

She looked at him:
'Why, son, it's you!
My dear lad. Come to stay.
Maybe you'd like some bacon now:
you must be tired and hungry.'

The soldier stares, the same old joker:
'I'd be glad to eat with you,
but weren't you completely out of bacon?'
'Well, no ... I'll find some for *you*.'

– Значит, цел, орел, покуда.
– Ну, отец, не только цел:
Отступал солдат отсюда,
А теперь, гляди, кто буду, –
Вроде даже офицер.

– Офицер? Так-так. Понятно, –
Дед кивает головой.-
Ну, а если... на попятный,
То опять как рядовой?..

– Нет, отец, забудь. Отныне
Нерушим простой завет:
Ни в большом, ни в малом чине
На попятный ходу нет.

Откажи мне в черствой корке,
Прогони тогда за дверь.
Это я, Василий Теркин,
Говорю. И ты уж верь.

– Да уж верю! Как получше,
На какой теперь манер:
Господин, сказать, поручик
Иль товарищ, офицер?

– Стар годами, слаб глазами,
И, однако, ты, старик,
За два года с господами
К обращению привык...

'So, you've made it all this way?'
'Not just made it, made it well:
I was a soldier when I went away,
and now just take a look at me,
a uniform, stripes and a medal.'

'Stripes? Oh-ho, an officer,'
Granddad nods his head.
'But ... if you have to head back over,
will you keep them yet?'

'Yes, no worries. Let me say
once and for all, and don't forget:
from now on, absolutely nobody,
officer or private, will ever retreat.

I swear it, even if you spurn me,
and push me out, far from your door.
Vasili Tyorkin's not for turning,
nor is our army anymore.'

'I believe you! Tell me, though,
how should I address you?
Mister officer, or, no,
is Comrade sergeant better?'

'Oh, you're old, your eyes are weak,
and two years have had their toll,
with all their Herrs and officers,
how you should treat us all ...'

Дед – плеваться, а старуха,
Подпершись одной рукой,
Чуть склонясь и эту руку
Взявши под локоть другой,
Все смотрела, как на сына
Смотрит мать из уголка.

– Закуси еще, – просила, –
Закуси, поешь пока...

И спешил, а все ж отведал,
Угостился, как родной.
Табаку отсыпал деду
И простился.
– Связь, за мной! –
И уже пройдя немного, –
Мастер памятлив и тут, –
Теркин будто бы с порога
Про часы спросил:

– Идут?
– Как не так! – и вновь причина
Бабе кинуться в слезу.

– Будет, бабка! Из Берлина
Двое новых привезу.

Grandfather spat, and then grandmother,
with one hand supporting her brow,
which bent a little, and the other
holding up her opposing elbow,
stared at the soldier, as though she were
his mother sitting by the fire.

'Come on,' she entreated, 'eat some more,
just a bite, then I'll cook something proper ...'

He was in a hurry, but he ate a little,
as though he were in his own home.
He put some tobacco on the table
and said goodbye.
'Men, come on!'
And as he began to walk away
(his memory still at work),
Tyorkin turned with something to say,
to ask about the clock:

'Is it still going?'
'The Nazis took it!'
The old woman began to moan.

'Don't you worry! I'll bring two back
when I get to Berlin.'

На Днепре

За рекой еще Угрою,
Что осталась позади,
Генерал сказал герою:
– Нам с тобою по пути...

Вот, казалось, парню счастье,
Наступать расчет прямой:
Со своей гвардейской частью
На войне придет домой.

Но едва ль уже мой Теркин,
Жизнью тертый человек,
При девчонках на вечерке
Помышлял курить "Казбек"...

Все же с каждым переходом,
С каждым днем, что ближе к ней,
Сторона, откуда родом,
Земляку была больней.

И в пути, в горячке боя,
На привале и во сне
В нем жила сама собою
Речь к родимой стороне:

– Мать-земля моя родная,
Сторона моя лесная,
Приднепровский отчий край,
Здравствуй, сына привечай!

On the Dnepr

Once they'd got beyond the Ugra,
and left that little river behind,
the general spoke to our officer:
'We're heading back to your homeland ...'

This should have made our Tyorkin cheerful,
to set off with his own brigade:
head off home once more, with all
his wartime comrades.

But this time Tyorkin scarcely thought,
now he'd been scarred by life,
about parties and cigarettes,
and dancing, girls, and love.

With every single day that brought him,
closer, step by step,
back towards the land that bore him,
he felt his heart start to snap.

On the road, or fighting hard,
fast asleep or encamped,
his heart would say the self-same words,
in praise of his native land:

'Oh Russian land that gave me birth,
the fairest land upon this earth,
oh land along the Dneipr,
welcome me, my father!

Здравствуй, пестрая осинка,
Ранней осени краса,
Здравствуй, Ельня, здравствуй, Глинка,
Здравствуй, речка Лучеса...

Мать-земля моя родная,
Я твою изведал власть,
Как душа моя больная
Издали к тебе рвалась!

Я загнул такого крюку,
Я прошел такую даль,
И видал такую муку,
И такую знал печаль!

Мать-земля моя родная,
Дымный дедовский большак,
Я про то не вспоминаю,
Не хвалюсь, а только так!..

Я иду к тебе с востока,
Я тот самый, не иной.
Ты взгляни, вздохни глубоко,
Встреться наново со мной.

Мать-земля моя родная,
Ради радостного дня
Ты прости, за что – не знаю,
Только ты прости меня!..

Так в пути, в горячке боя,
В суете хлопот и встреч
В нем жила сама собою
Эта песня или речь.

Hail to you, oh quaking aspen,
the pride of autumn weather;
hail to the village where Glinka was born;
hail, the wide Luchesa ...

Oh Russian land that gave me birth,
I give myself to your power,
and oh how much my soul does hurt
to leave you for just an hour!

I have walked a crooked road
that's led me away and back again,
and I have seen such misery
and known such deathly pain!

Oh Russian land that gave me birth,
the highway my ancestors walked ...
But this isn't a story about my life,
I'm not boasting, I need to talk!

I come to you from the east,
I'm the same as I've always been.
Look at me with a sigh in your breast,
and meet me once again.

Oh Russian land that gave me birth,
think of the day of victory,
and pardon me, forgive me if ...
I don't know, just forgive me!'

On the road, or fighting hard,
amid the noise and strife,
this song, this poem, lived within
his breast and gave him life.

Но война – ей все едино,
Все – хорошие края:
Что Кавказ, что Украина,
Что Смоленщина твоя.

Через реки и речонки,
По мостам, и вплавь, и вброд,
Мимо, мимо той сторонки
Шла дивизия вперед.

А левее той порою,
Ранней осенью сухой,
Занимал село героя
Генерал совсем другой...

Фронт полнел, как половодье,
Вширь и вдаль. К Днепру, к Днепру
Кони шли, прося поводья,
Как с дороги ко двору.

И в пыли, рябой от пота,
Фронтовой смеялся люд:
Хорошо идет пехота.
Раз колеса отстают.

Нипочем, что уставали
По пути к большой реке
Так, что ложку на привале
Не могли держать в руке.

Вновь сильны святым порывом,
Шли вперед своим путем,
Со страдальчески-счастливым,
От жары открытым ртом.

The war didn't care at all:
for a war, all lands are good:
the Caucasus, far Archangel,
or your Smolensk neighbourhood.

Over rivers large and small,
over bridges, swimming, wading,
the division moved on forwards,
in their ceaseless campaigning.

To the south, about this time,
in the dry days of early autumn,
our hero's village, his beloved home,
was recaptured by some other Russian ...

The front spread out, like a river in flood,
both far and wide. Onwards, to the Dnepr
the horses eagerly trotted
as though it were their stable.

And covered in dust, their faces sweating,
the soldiers made it to the banks.
It's good to march, fair chance of getting
to places where there can be no tanks.

They didn't care they were exhausted
from their march to the riverside;
so tired they were, that when they paused,
they couldn't hold their spoons upright.

But they had got their second wind,
had marched along thus far,
both joyfully and sore tormented,
their mouths hanging open with thirst.

Слева наши, справа наши,
Не отстать бы на ходу.
– Немец кухни с теплой кашей
Второпях забыл в саду.

– Подпереть его да в воду.
– Занял берег, сукин сын!
– Говорят, уж занял с ходу
Населенный пункт Берлин...

Золотое бабье лето
Оставляя за собой,
Шли войска – и вдруг с рассвета
Наступил днепровский бой...

Может быть, в иные годы,
Очищая русла рек,
Все, что скрыли эти воды,
Вновь увидит человек.

Обнаружит в илах сонных,
Извлечет из рыбьей мглы,
Как стволы дубов мореных,
Орудийные стволы;

Русский танк с немецким в паре,
Что нашли один конец,
И обоих полушарий
Сталь, резину и свинец;

Хлам войны – понтона днище,
Трос, оборванный в песке,
И топор без топорища,
Что сапер держал в руке.

Russians to the left and right:
no one's going to stop now.
'The Nazis left their stove alight,
such was their hurry just to go.'

'Throw the Nazi in the river.'
'Can't, the fucker's digging in!'
'I've heard the Nazis have got orders
to retreat to some hamlet called Berlin ...'

A golden-tinted Indian summer
hung around behind the soldiers,
who marched on, and then one dawn
began the battle for the Dnepr ...

Perhaps some time, in future years,
mudlarking at the riverside,
men will once more set their eyes
on all the water tried to hide.

Then, from out the sleepy mud,
from out the fishy gloom,
like pillars made of seasoned wood
some armaments will loom;

a Russian and a Nazi tank,
both of them long dead,
caught beneath the river bank –
steel, rubber and lead;

the junk of war – some pontoon rubble;
a cable, broken in the sand;
an axe without its head or handle
some sapper once held in his hand.

Может быть, куда как пуще
И об этом топоре
Скажет кто-нибудь в грядущей
Громкой песне о Днепре;

О страде неимоверной
Кровью памятного дня.

Но о чем-нибудь, наверно,
Он не скажет за меня.

Пусть не мне еще с задачей
Было сладить. Не беда.
В чем-то я его богаче, –
Я ступал в тот след горячий,
Я там был. Я жил тогда...

Если с грузом многотонным
Отстают грузовики,
И когда-то мост понтонный
Доберется до реки, –

Под огнем не ждет пехота,
Уставной держась статьи,
За паром идут ворота;
Доски, бревна – за ладьи.

К ночи будут переправы,
В срок поднимутся мосты,
А ребятам берег правый
Свесил на воду кусты.

It may be, that somewhen worse,
some poet of the future
may stick this axe into his verse
about the battle of the Dnepr;

about the blood that flowed and flowed
upon that memorable scene.

But there's one thing that I'm owed,
that he can never sing.

It may be that my poem won't be
the best on the topic. No shame to bear.
But there's one point where I'm surely
able to sing more successfully:
about my presence. I was there ...

Even if the lorries with their tonnage
haven't yet made it to the bank,
and there is no pontoon bridge
capable of carrying a tank –

even then, they can't wait, the infantry:
the order's out there and they must cross,
using barn doors instead of a ferry;
a stable door instead of a horse.

The bridge will be in place come nightfall,
and the ferries will start to run,
in the meantime, bushes start
out from the banks towards your hand.

Подплывай, хватай за гриву.
Словно доброго коня.
Передышка под обрывом
И защита от огня.

Не беда, что с гимнастерки,
Со всего ручьем течет...
Точно так Василий Теркин
И вступил на берег тот.

На заре туман кудлатый,
Спутав дымы и дымки,
В берегах сползал куда-то,
Как река поверх реки.

И еще в разгаре боя,
Нынче, может быть, вот-вот,
Вместе с берегом, с землею
Будет в воду сброшен взвод.

Впрочем, всякое привычно, –
Срок войны, что жизни век.
От заставы пограничной
До Москвы-реки столичной
И обратно – столько рек!

Вот уже боец последний
Вылезает на песок
И жует сухарь немедля,
Потому – в Днепре намок,

Мокрый сам, шуршит штанами.
Ничего! – На то десант.
– Наступаем. Днепр за нами,
А, товарищ лейтенант?..

Swim across, find a bush, and grab it.
As though it were a horse's mane.
Take a breather under the outcrop
that protects you from the guns.

Don't worry if your army tunic's
streaming like a river ...
That's the way that Vasya Tyorkin
managed to make it over.

When the sun comes up, the shaggy fog,
made of smoke and water vapour,
will start to move and soon slide off,
like a river above the river.

And the battle still is raging,
until it almost seems
that the riverbank and all the soldiers
will be hurled into the stream.

Anyway, they're used to it:
a war is measured in times like this.
From meanders at the border
all the way to the Moscow river
how many rivers do you think they cross?

Now there comes the final soldier
crawling out onto the mud,
where he quickly finds and eats a
crust that got soaked in the flood,

and he's wet too, his trousers ripple.
But who cares? That's the day's work.
'Here we go. We've crossed the Dnepr,
what do you reckon about that, sir?'

Бой гремел за переправу,
А внизу, южнее чуть –
Немцы с левого на правый,
Запоздав, держали путь.

Но уже не разминуться,
Теркин строго говорит:
– Пусть на левом в плен сдаются,
Здесь пока прием закрыт.

А на левом с ходу, с ходу
Подоспевшие штыки
Их толкали в воду, в воду,
А вода себе теки...

И еще меж берегами
Без разбору, наугад
Бомбы сваи помогали
Загонять, стелить накат...

Но уже из погребушек,
Из кустов, лесных берлог
Шел народ – родные души –
По обочинам дорог...

К штабу на берег восточный
Плелся стежкой, стороной
Некий немец беспорточный,
Веселя народ честной.

And the battle carried on,
and further down the river
a group of Nazis tried to form
and cross in secret over.

But they mustn't make it over;
about that Tyorkin's clear:
'Keep them on the left, together,
There's no welcome for them here.'

Using bayonets, they crossed the
Nazis the length of the bank along,
then pushed them in – sweet Dnepr run softly
till I end my song ...

And from bank to bank of the river
bombs fell ceaselessly,
doing the work of the pile-drivers
much more easily ...

And from out of caves and cellars,
bushes, hideouts in the wood,
the people came, civilians not soldiers,
all walking down the road ...

They came towards the eastern HQ,
driving the Nazi scum,
laughing at how they seemed destitute,
these Nazis on the run.

– С переправы?
– С переправы.
Только-только из Днепра.
– Плавал, значит?
– Плавал, дьявол,
Потому – пришла жара...
– Сытый, черт!
Чистопородный.
– В плен спешит, как на привал...

Но уже любимец взводный –
Теркин, в шутки не встревал.
Он курил, смотрел нестрого,
Думой занятый своей.
За спиной его дорога
Много раз была длинней.
И молчал он не в обиде,
Не кому-нибудь в упрек, –
Просто, больше знал и видел,
Потерял и уберег...

– Мать-земля моя родная,
Вся смоленская родня,
Ты прости, за что – не знаю,
Только ты прости меня!
Не в плену тебя жестоком,
По дороге фронтовой,
А в родном тылу глубоком
Оставляет Теркин твой.
Минул срок годины горькой,
Не воротится назад.

– Что ж ты, брат, Василий Теркин,
Плачешь вроде?..
– Виноват...

'Did they swim across?'
'Yes, they swam across.
All the way across the stream.'
'Swimming, eh?'
'Yes, swimming, yes:
our troops made it too hot for them ...'
'He's a fat one!
Free-range Nazi.'
'And off to prison, like a hotel ...'

But one man didn't join the party –
for Tyorking the joke didn't sit too well.
He smoked and didn't glare at the soldiers,
lost and sunk in his own thought.
The road that lay behind his shoulders
was longer far than that in front.
But it wasn't shame that silenced him,
or anger, or sense insulted –
just what he had felt and seen
and nurtured deep inside.

'Oh Russian land that gave me birth,
think of the day of victory,
and pardon me, forgive me if ...
I don't know, just forgive me!
And you are no longer captive,
on the road down to the war,
but Tyorkin's rescued you alive
and whole, like you were before.
The years of bitter strife are broken,
Though they were long and large.

'What's that, are you crying, Tyorkin?'
'Yes ...
Guilty as charged ...'

Про солдата-сироту

Нынче речи о Берлине.
Шутки прочь, – подай Берлин.
И давно уж не в помине,
Скажем, древний город Клин.

И на Одере едва ли
Вспомнят даже старики,
Как полгода с бою брали
Населенный пункт Борки.

А под теми под Борками
Каждый камень, каждый кол
На три жизни вдался в память
Нам с солдатом-земляком.

Был земляк не стар, не молод,
На войне с того же дня
И такой же был веселый,
Наподобие меня.

Приходилось парню драпать,
Бодрый дух всегда берег,
Повторял: "Вперед, на запад",
Продвигаясь на восток.

Между прочим, при отходе,
Как сдавали города,
Больше вроде был он в моде,
Больше славился тогда.

For the Bereaved Soldier

And now Berlin is all our talk.
No more joking, let's take Berlin.
And we no longer spare a thought
for, let's say, the town of Klin.

Old men forget; by the Oder river,
scarcely one will hold in his memory
how we took six months to deliver
the simple hamlet of Borki.

And yet, when we think of Borki,
every stone and every post
will be graven deep in the memory
of those who saw it won and lost.

So there's a man, not young or old,
who joined the war same day as me,
and who was just as bright and bold
as ever I found myself to be.

When this man had to retreat,
his cheerful mood he never lost,
and as we headed to the east
he kept on saying 'to the west!'

And as the army troops fell back,
and gave up town after town,
it was almost like he was better liked,
a figure of greater renown.

И по странности, бывало,
Одному ему почет,
Так что даже генералы
Были будто бы не в счет.

Срок иной, иные даты.
Разделен издревле труд:
Города сдают солдаты,
Генералы их берут.

В общем, битый, тертый, жженый,
Раной меченный двойной,
В сорок первом окруженный,
По земле он шел родной.

Шел солдат, как шли другие,
В неизвестные края:
"Что там, где она, Россия,
По какой рубеж своя?.."

И в плену семью кидая,
За войной спеша скорей,
Что он думал, не гадаю,
Что он нес в душе своей.

Но какая ни морока,
Правда правдой, ложью ложь.
Отступали мы до срока,
Отступали мы далеко,
Но всегда твердили:
– Врешь!..

It may seems strange, but it was true,
that we singled him out for praising,
so that the generals and marshals too
didn't enter in the equation.

Another time, another place.
In war, the duties are parcelled out:
it's the generals who win when we advance;
the soldiers who lose when we retreat.

And so, broken, burned and hounded,
and stabbed so neatly in the back,
in '41 when we were surrounded,
he retreated from his native land.

He marched, with all the other soldiers,
into an unknown land:
'Where's the front and where is Russia?
Where is the world I understand?'

He left his hometown occupied,
his family lost and captured,
and what he thought, I will not try
to imagine, or even picture.

No matter what the situation,
the truth is true and a lie is a lie.
Yes, we were leaving our nation,
yes, we abandoned our creation,
but 'We'll return!'
was what we'd say.

И теперь взглянуть на запад
От столицы. Край родной!
Не на шутку был он заперт
За железною стеной.

И до малого селенья
Та из плена сторона
Не по щучьему веленью
Вновь сполна возвращена,

По веленью нашей силы,
Русской, собственной своей.
Ну-ка, где она, Россия,
У каких гремит дверей!

И, навеки сбив охоту
В драку лезть на свой авось,
Враг ее – какой по счету! –
Пал ничком и лапы врозь.

Над какой столицей круто
Взмыл твой флаг, отчизна-мать!
Подождемте до салюта,
Чтобы в точности сказать.

Срок иной, иные даты.
Правда, ноша не легка...
Но продолжим про солдата,
Как сказали, земляка.

Дом родной, жена ли, дети,
Брат, сестра, отец иль мать
У тебя вот есть на свете, –
Есть куда письмо послать.

And now we look again westwards
from Moscow. Our native land!
Freed from where it had been clasped
in an iron band.

And everything, to the last village,
delivered from captivity:
no Nazis left to rape and pillage;
no chance was this that set them free,

but the deployment of our power,
a simple strength, uniquely Russian.
Where is she then, our mother Russia?
Knocking at the door of Berlin!

The enemy no longer wants
to join with us in the fight:
Russia's enemy, now once
and for all must say good night.

Above which capitals will your banner
now fly, Mother-Father-Land!
When they give us the official numbers
we'll know just where we stand.

Another time, another place.
And yes, our burden's far too heavy ...
But let me speak some more of this
local soldier, and his tragedy.

If you have a home, a wife,
some children, siblings, mother, father,
then you will know that when you write
there's someone there to read your letter.

А у нашего солдата –
Адресатом белый свет.
Кроме радио, ребята,
Близких родственников нет.

На земле всего дороже,
Коль имеешь про запас
То окно, куда ты сможешь
Постучаться в некий час.

На походе за границей,
В чужедальней стороне,
Ах, как бережно хранится
Боль-мечта о том окне!

А у нашего солдата, –
Хоть сейчас войне отбой, –
Ни окошка нет, ни хаты,
Ни хозяйки, хоть женатый,
Ни сынка, а был, ребята, –
Рисовал дома с трубой...

Под Смоленском наступали.
Выпал отдых. Мой земляк
Обратился на привале
К командиру: так и так, –

Отлучиться разрешите,
Дескать, случай дорогой,
Мол, поскольку местный житель,
До двора – подать рукой.

But it was different for our soldier,
who now has no one whom he might call.
Apart from the radio, my brothers,
he has no family at all.

There is not a thing more precious
than to bear within your mind
the window of a little farmhouse
where you can knock at any time.

As you travel over borders
into foreign, enemy lands,
oh, how carefully you hold it,
that window, precious in your mind!

But for him, this story's soldier,
although the war is winding down,
there is no window standing open,
no wife, although he had a wife,
no son, although one son was born,
no life, no life, no life, no life ...

We'd been advancing round Smolensk.
They called a halt. My countryman
went straight to the officers' tents
to speak to his commander:

'Look, I'd like a bit of leave,
'cos I'm from round these parts,
just to have a chance to see
my folks and have a chat.'

Разрешают в меру срока...
Край известный до куста.
Но глядит – не та дорога,
Местность будто бы не та.

Вот и взгорье, вот и речка,
Глушь, бурьян солдату в рост,
Да на столбике дощечка,
Мол, деревня Красный Мост.

И нашлись, что были живы,
И скажи ему спроста
Все по правде, что служивый –
Достоверный сирота.

У дощечки на развилке,
Сняв пилотку, наш солдат
Постоял, как на могилке,
И пора ему назад.

И, подворье покидая,
За войной спеша скорей,
Что он думал, не гадаю,
Что он нес в душе своей...

Но, бездомный и безродный,
Воротившись в батальон,
Ел солдат свой суп холодный
После всех, и плакал он.

На краю сухой канавы,
С горькой, детской дрожью рта,
Плакал, сидя с ложкой в правой,
С хлебом в левой, – сирота.

His wish was granted, but not for long.
Every bush was a bush he once had seen.
But something nagged at him, was wrong,
the place was not as it had been.

Here's the hillock, and the river,
and the weeds grown up to his face,
and the board set up on a pillar:
Krasny Most. Yes, that's the place.

But then he chanced on some survivors,
who, without preamble, said,
without any delay, or sugar,
that his family was dead.

He stood there, by the little signpost,
and took his hat off, as though he were
at a grave, not at *Krasny Most*,
until his time came to return.

As he left this haunted place
to hurry back to the war,
I don't want to try and guess
the range and weight of his thoughts ...

Homeless now, without a family,
back with the battalion,
the soldier ate his chilly *shchi*
and wept after everyone else had gone.

He sat on the edge of a dried-up river,
with a bitter, childish, trembling face,
and (spoon in one hand, bread in the other)
cried his orphaned tears.

Плакал, может быть, о сыне,
О жене, о чем ином,
О себе, что знал: отныне
Плакать некому о нем.

Должен был солдат и в горе
Закусить и отдохнуть,
Потому, друзья, что вскоре
Ждал его далекий путь.

До земли советской края
Шел тот путь в войне, в труде.

А война пошла такая –
Кухни сзади, черт их где!

Позабудешь и про голод
За хорошею войной.
Шутки, что ли, сутки – город,
Двое суток – областной.

Срок иной, пора иная –
Бей, гони, перенимай.
Белоруссия родная,
Украина золотая,
Здравствуй, пели, и прощай.

Позабудешь и про жажду,
Потому что пиво пьет
На войне отнюдь не каждый
Тот, что брал пивной завод.

Perhaps he cried for his little boy,
or maybe for his wife,
or maybe for himself, that now
there'd be no one to mourn his life.

Even grieving, a Russian soldier
needs to eat and rest,
because there soon will come the order
to march into the west.

To the edge of the Soviet land,
they struggled onwards in the war.

The war moved fast, the war moved on:
they left the kitchens in the rear!

But you can forget your hunger
if the war is going well.
One day you're still in the country:
the next you're in the capital.

Another time, another place –
strike and vanquish, then goodbye.
The landscape dear of Belarus,
Ukraine in her goldenness ...
Ave atque vale.

You must forget about your thirst,
though your mouth is parched and dry:
the business of the war comes first,
even if you capture a brewery ...

Так-то с ходу ли, не с ходу,
Соступив с родной земли,
Пограничных речек воду
Мы с боями перешли.

Счет сведен, идет расплата
На свету, начистоту.
Но закончим про солдата,
Про того же сироту.

Где он нынче на поверку.
Может, пал в бою каком,
С мелкой надписью фанерку
Занесло сырым снежком.

Или снова был он ранен,
Отдохнул, как долг велит,
И опять на поле брани
Вместе с нами брал Тильзит?

И, Россию покидая,
За войной спеша скорей,
Что он думал, не гадаю,
Что он нес в душе своей.

Может, здесь еще бездонней
И больней душе живой,
Так ли, нет, – должны мы помнить
О его слезе святой.

Если б ту слезу руками
Из России довелось
На немецкий этот камень
Донести, – прожгла б насквозь.

Sometimes slow and sometimes fast,
marching from our native land,
we fought and forded our way past
frontier rivers on either hand.

We're starting now to keep the tally,
what we've won and what we've lost.
But let's go back to our lonely ally,
who alone can count his cost.

But where he is, no way to know.
Perhaps he fell in the fight,
and somewhere buried under snow
is a little hand-lettered sign.

Or maybe he was shot again
and had to rest till he was fit,
and maybe he was with his men
when we took Tilsit?

And, as he marched out of Russia,
to head to the future war,
I don't want to try and guess
the range and weight of his thoughts.

Maybe his grief is ever greater,
and weighs down further on his soul,
or maybe not, but we remember
the tears that he let fall.

If just one of his tears were borne
away from Russian soil,
it would burn through German stone,
make German water boil.

Счет велик, идет расплата.
И за той большой страдой
Не забудемте, ребята,
Вспомним к счету про солдата,
Что остался сиротой.

Грозен счет, страшна расплата
За мильоны душ и тел.
Уплати – и дело свято,
Но вдобавок за солдата,
Что в войне осиротел.

Далеко ли до Берлина,
Не считай, шагай, смоли, –
Вдвое меньше половины
Той дороги, что от Клина,
От Москвы уже прошли.

День идет за ночью следом,
Подведем штыком черту.
Но и в светлый день победы
Вспомним, братцы, за беседой
Про солдата-сироту...

The debt is great and must be paid,
and as the war is won,
what's owing must once and for all be weighed,
and we must not forget our comrade
who lost his wife and son.

The debt is grim, the price is steep
for the millions of souls and bodies.
Pay the debt, and be sure to keep
in mind our friend whom you saw weep
as he lost his family.

It's a long way to Berlin,
don't measure it out in cigarettes:
you've twice as far to go again
as you've marched from the town of Klin,
but from Moscow you'll get there yet.

Night follows day follows night follows day,
and our bayonets shall mark the border.
But on the day of victory
spare a thought and a memory
for him, the bereaved soldier ...

По дороге на Берлин

По дороге на Берлин
Вьется серый пух перин.

Провода умолкших линий,
Ветки вымокшие лип
Пух перин повил, как иней,
По бортам машин налип.

И колеса пушек, кухонь
Грязь и снег мешают с пухом.
И ложится на шинель
С пухом мокрая метель...

Скучный климат заграничный,
Чуждый край краснокирпичный,
Но война сама собой,
И земля дрожит привычно,
Хрусткий щебень черепичный
Отряхая с крыш долой...

Мать-Россия, мы полсвета
У твоих прошли колес,
Позади оставив где-то
Рек твоих раздольный плес.

Долго-долго за обозом
В край чужой тянулся вслед
Белый цвет твоей березы
И в пути сошел на нет.

On the Highway to Berlin

On the highway to Berlin
the ash flies, floating, feathering.

It hangs on the sodden telegraph wires,
and the branches of the lime trees
and clings like frost to the hoods and tyres
of the Russian army lorries.

The dirt and snow mix with the ash
on the artillery wheels.
And the damp snow falls with a splash
on army coats and medals ...

Foreign climate's not that great,
in this red-brick foreign city,
but the war's the same as ever,
and the earth gives the same old shudder,
and the brittle tiles give way
and fall to the ground and break.

Mother Russia, we've crossed the land
to follow where your wheels roll,
and left your rivers far behind
somewhere we can't recall.

We've come so far behind your convoys
into this, a foreign land,
and the white light of Russian birch trees
has somewhere distant been abandoned.

С Волгой, с древнею Москвою
Как ты нынче далека.
Между нами и тобою –
Три не наших языка.

Поздний день встает не русский
Над немилой стороной.
Черепичный щебень хрусткий
Мокнет в луже под стеной.

Всюду надписи, отметки,
Стрелки, вывески, значки,
Кольца проволочной сетки,
Загородки, дверцы, клетки –
Все нарочно для тоски...

Мать-земля родная наша,
В дни беды и в дни побед
Нет тебя светлей и краше
И желанней сердцу нет.

Помышляя о солдатской
Непредсказанной судьбе,
Даже лечь в могиле братской
Лучше, кажется, в тебе.

А всего милей до дому,
До тебя дойти живому,
Заявиться в те края:
– Здравствуй, родина моя!

You are now so far away,
you and your Moscows, and your Volgas.
There now lie between you and me
at least three non-Russian languages.

This is no Russian day that dawns
over this gloomy land and people.
The brittle tiles have cracked and fallen
into a sopping puddle.

Signs and notices everywhere,
arrows, placards, directions,
barricades of chicken wire,
fences, cages, bolted doors:
it drives you to distraction ...

Oh, our darling motherland,
in days of victory and sorrow
there is no better other land
more dear to me than you.

A soldier's fate is not fixed in stone,
but if he's destined to fall
then it's better if he's buried at home
and not in foreign soil.

But better yet is get back there,
whole, or at least safe and sound,
and say, as you cross the border:
'Hello, my native land!'

Воин твой, слуга народа,
С честью может доложить:
Воевал четыре года,
Воротился из похода
И теперь желает жить.

Он исполнил долг во славу
Боевых твоих знамен.
Кто еще имеет право
Так любить тебя, как он!

День и ночь в боях сменяя,
В месяц шапки не снимая,
Воин твой, защитник-сын,
Шел, спешил к тебе, родная,
По дороге на Берлин.

По дороге неминучей
Пух перин клубится тучей.
Городов горелый лом
Пахнет паленым пером.

И под грохот канонады
На восток, из мглы и смрада,
Как из адовых ворот,
Вдоль шоссе течет народ.

Потрясенный, опаленный,
Всех кровей, разноплеменный,
Горький, вьючный, пеший люд...
На восток – один маршрут.

And your soldier, servant of the people,
with pride may add as follows:
he fought for four years in all
and made it home safe from the war
and wants nothing more than to live now.

He has offered duty's glory
to your warlike banners.
Who has more right, in victory,
to love you, than a soldier?

Caught all night in midst of battle,
hat on head for weeks on end,
your soldier, your defender, son,
hurried back to you, his friend,
down the long road to Berlin.

All along the eternal highway,
ash in clouds like feathers flies.
And the rubble of the cities
smells like burning mattresses.

And under the groan of the cannonade
to the east, from the stench and gloom,
as though in flight from Hell's own gates,
the people flee their doom.

Shaken, wounded, half-collapsed,
people of all tribes and races,
a bitter, burdened bunch of chaps ...
To the east they set their faces.

На восток, сквозь дым и копоть,
Из одной тюрьмы глухой
По домам идет Европа.
Пух перин над ней пургой.

И на русского солдата
Брат француз, британец брат,
Брат поляк и все подряд
С дружбой будто виноватой,
Но сердечною глядят.

На безвестном перекрестке
На какой-то встречный миг –
Сами тянутся к прическе
Руки девушек немых.

И от тех речей, улыбок
Залит краской сам солдат;
Вот Европа, а спасибо
Все по-русски говорят.

Он стоит, освободитель,
Набок шапка со звездой.
Я, мол, что ж, помочь любитель,
Я насчет того простой.
Мол, такая служба наша,
Прочим флагам не в упрек...

– Эй, а ты куда, мамаша?
– А туда ж, – домой, сынок.

В чужине, в пути далече,
В пестром сборище людском
Вдруг слова родимой речи,
Бабка в шубе, с посошком.

To the east, through smoke and soot,
from the depths of a prison dim,
Europe's heading home on foot,
clouds of ash hanging over them.

And towards the Russian soldier,
his brother Frenchman, brother Briton,
brother Pole and all the others,
look in something like contrition,
but with friendly, open hearts.

Standing at a nameless crossroads,
at a momentary meeting,
young girls reach up and touch their heads
in a soundless sign of greeting.

And when there is a word to share,
the soldier blushes red.
This is Europe, but *spasibo*
is a word by all men shared.

There he stands, the liberator,
the star on his hat a little skewwhiff.
'I'm keen for us to help each other,
I'm not here for fame ... as if!
I'm just here to do my duty,
no disrespect to other nations ...'

'Hey, where are you headed, lady?'
'Where d'you think? Back home, my son.'

In this crowd of foreign people,
the dappled faces from every land,
we suddenly hear words we know well:
a Russian woman, staff in hand.

Старость вроде, да не дряхлость
В ту котомку впряжена.
По-дорожному крест-накрест
Вся платком оплетена.

Поздоровалась и встала,
Земляку-бойцу под стать,
Деревенская, простая
Наша труженица-мать.

Мать святой извечной силы,
Из безвестных матерей,
Что в труде неизносимы
И в любой беде своей;

Что судьбою, повторенной
На земле сто раз подряд,
И растят в любви бессонной,
И теряют нас, солдат;

И живут, и рук не сложат,
Не сомкнут своих очей,
Коль нужны еще, быть может,
Внукам вместо сыновей.

Мать одна в чужбине где-то!
– Далеко ли до двора?
– До двора? Двора-то нету,
А сама из-за Днепра...

Стой, ребята, не годится,
Чтобы этак с посошком
Шла домой из-за границы
Мать солдатская пешком.

Yes, she's old, but she's not broken:
a knapsack strapped across her back.
And for the road her shawl's been taken
and tied up, crosswise, round her neck.

She greeted them and then walked on.
Her fellow countrymen stood round,
pleased to see a Russian woman,
solid, as though grown from the ground.

A mother, filled with nameless power,
one of those innumerable mothers,
who will work exhausting hours
and not yield to any others;

she whom fate, down all the years,
again and again, a hundred times,
has given children, let her rear us,
and then lose us, when war comes;

she who lives and never rests,
never closing her eye even once,
just in case there's a need expressed
by her grandson or her sons.

A mother, lost in foreign lands!
'Is it far until you're home?'
'Home? My home no longer stands,
but past the Dnepr's where I come from ...'

'Hold it, soldiers, this ain't right,
that this woman with her staff
should struggle home through day and night
on foot, who gave a soldier life.

Нет, родная, по порядку
Дай нам делать, не мешай.
Перво-наперво лошадку
С полной сбруей получай.

Получай экипировку,
Ноги ковриком укрой.
А еще тебе коровку
Вместе с приданной овцой.

В путь-дорогу чайник с кружкой
Да ведерко про запас,
Да перинку, да подушку, –
Немцу в тягость, нам как раз...

– Ни к чему. Куда, родные? –
А ребята – нужды нет –
Волокут часы стенные
И ведут велосипед.

– Ну, прощай. Счастливо ехать!
Что-то силится сказать
И закашлялась от смеха,
Головой качает мать.

– Как же, детки, путь не близкий,
Вдруг задержат где меня:
Ни записки, ни расписки
Не имею на коня.

– Ты об этом не печалься,
Поезжай да поезжай.
Что касается начальства, –
Свой у всех передний край.

We won't take no for any answer,
come on, let us help you out.
First of all, there's a horse here
harnessed and ready for you to ride.

And now you need some goods to carry,
cover your legs with this here rug.
And here's a cow, which'll come in handy,
and a sheep that's going begging.

Teapot and teacup for the road,
and a bucket that you can use,
a mattress and a feather pillow –
they used to be German, but now are ours ...'

'Lads, I don't need all this stuff.
Look, I'm sorted pretty well ...
Take that cuckoo-clock right off,
and I don't need a bicycle.'

'That's alright. Farewell! Safe journey!'
And the woman tries to speak,
but she chokes herself with laughing,
and shakes her head, and puffs and squeaks.

'Look, I've got a way to go,
and what happens if they stop me?
I don't have anything to show
that the horse belongs to me ...'

'Don't you let that worry you:
just carry on and get back home.
The army won't stop to question you:
they've got worries of their own.

Поезжай, кати, что с горки,
А случится что-нибудь,
То скажи, не позабудь:
Мол, снабдил Василий Теркин, –
И тебе свободен путь.

Будем живы, в Заднепровье
Завернем на пироги.

– Дай господь тебе здоровья
И от пули сбереги...

Далеко, должно быть, где-то
Едет нынче бабка эта,
Правит, щурится от слез.
И с боков дороги узкой,
На земле еще не русской –
Белый цвет родных берез.

Ах, как радостно и больно
Видеть их в краю ином!..

Пограничный пост контрольный,
Пропусти ее с конем!

‘Keep on riding, you’ll be lucky,
and if anything should befall,
just say – and this you must recall –
that it was me, Vasili Tyorkin,
who set you on your way so well.

If we live, we’ll come down the Dnepr
one day, and you can cook for us.’

‘May God keep you safe and sober,
and not let a bullet pass ...’

And now somewhere far distant she
must travel, this old lady,
tears welling in her eyes.
And to the side of the narrow road
as she rides with her heavy load,
Russian birches start to shine.

To see these trees and know them all,
oh, how sweet and sad it is!

They let her through passport control,
her and her cow and her horse!

В бане

На околице войны –
В глубине Германии –
Баня! Что там Сандуны
С остальными банями!

На чужбине отчий дом –
Баня натуральная.
По порядку поведем
Нашу речь похвальную.

Дом ли, замок, все равно,
Дело безобманное:
Банный пар занес окно
Пеленой туманною.

Стулья графские стоят
Вдоль стены в предбаннике.
Снял подштанники солдат,
Докурил без паники.

Докурил, рубаху с плеч
Тащит через голову.
Про солдата в бане речь, –
Поглядим на голого.

Невысок, да грудь вперед
И в кости надежен.
Телом бел, – который год
Загорал в одеже.

In the Bathhouse

On the outskirts of the war,
in the depths of Germany,
a bathhouse! Who could ask for more:
it compares well with Sandunovsky's!

A home from home in a foreign land –
a bathhouse like it should be.
Let us praise it where it stands,
with all our hymns of glory.

A castle or a home, who cares,
no one is trying to deceive you:
the important thing is the steam that pours
up against the bathhouse window.

The chairs the Count was once so proud of
are ranged against one wall.
A soldier takes his trousers off
then rolls and smokes his fill.

Once he's smoked, off comes his vest,
pulled over his head.
Let's see this human figure first
in all its nakedness.

He isn't tall, but his chest is firm
and his skeleton seems sturdy.
He's spent four years in uniform
which accounts for his snow-white body.

И хоть нет сейчас на нем
Форменных регалий,
Что знаком солдат с огнем,
Сразу б угадали.

Подивились бы спроста,
Что остался целым.
Припечатана звезда
На живом, на белом.

Неровна, зато красна,
Впрямь под стать награде,
Пусть не спереди она, –
На лопатке сзади.

С головы до ног мельком
Осмотреть атлета:
Там еще рубец стручком,
Там иная мета.

Знаки, точно письмена
Памятной страницы.
Тут и Ельня, и Десна,
И родная сторона
В строку с заграницей.

Столько верст и столько вех,
Не забыть иную.
Но разделся человек,
Так идет в парную.

Он идет, но как идет,
Проследим сторонкой:
Так ступает, точно лед
Под ногами тонкий;

And although he's now no longer
in his army attire,
you can see that he's a soldier,
and has been under fire.

You'd be surprised that this, our man,
has made it out alive.
There's a star printed on his skin
stands out against the white.

It's bright red, a little uneven,
like a medal for a soldier,
but not quite in the right zone:
it's not on the chest, but the shoulder.

From head to toe, let's take a look
and eye this athlete over:
here's a scar shaped like a hook,
and here is yet another.

It's like a letter to his war,
a page covered in memories.
This is from Yelna, and the Desna;
these are wounds from Mother Russia
and these from enemy territories.

How many miles and how many years
he'll never put behind him.
But now he's taken off his gear
and walked into the steamroom.

In he goes, he sidles in,
walking pretty cautiously:
as though he trod on ice that was thin
and ready to give way;

Будто делает с трудом
Шаг – и непременно:
– Ух, ты! – крякает, притом
Щурится блаженно.

Говор, плеск, веселый гул,
Капли с потных сводов...
Ищет, руки протянув,
Прежде пар, чем воду.

Пар бодает в потолок
Ну-ка, о ходу на полок!

В жизни мирной или бранной,
У любого рубежа,
Благодарны ласке банной
Наше тело и душа.

Ничего, что ты природой
Самый русский человек,
А берешь для бани воду
Из чужих; далеких рек.

Много хуже для здоровья,
По зиме ли, по весне,
Возле речек Подмосковья
Мыться в бане на войне.

– Ну-ка ты, псковской, елецкий
Иль еще какой земляк,
Зачерпни воды немецкой
Да уважь, плесни черпак.

as though each step cost him some pain,
and can't be made directly:
'Ay, you bastard!' he shouts and then
shivers most happily.

Chatter, splashing, happy noise;
drops fall from the sweaty vaulting ...
He holds his hands out as he tries
to grasp at steam, not water.

The steam bundles at the roof:
come on, lad, sit on your shelf!

Whether life is calm or fearful,
wherever one finds oneself,
a bathhouse soothes and makes you cheerful,
your body and your soul.

It doesn't matter if you are just
a Russian from head to toe,
you'll use water from any source
to make your bathhouse flow.

Baths in the spring or in the winter
are less good for the organism,
and you'll be lucky if during the war
you got to bathe in a stream.

'Come on lads, from Pskov and Yelnya,
from wherever you have your homes,
fill the ladle with German water
and pour it on the stones.

Не жалей, добавь на пфенниг,
А теперь погладить швы
Дайте, хлопцы, русский веник,
Даже если он с Литвы.

Честь и слава помпохозу,
Снаряжавшему обоз,
Что советскую березу
Аж за Кенигсберг завез.

Эй, славяне, что с Кубани,
С Дона, с Волги, с Иртыша,
Занимай высоты в бане,
Закрепляйся не спеша!

До того, друзья, отлично
Так-то всласть, не торопясь,
Парить веником привычным
Заграничный пот и грязь.

Пар на славу, молодецкий,
Мокрым доскам горячо.
Ну-ка, где ты, друг елецкий,
Кинь гвардейскую еще!

Кинь еще, а мы освоим
С прежней дачей заодно.
Вот теперь спасибо, воин,
Отдыхай. Теперь – оно!

Кто не нашей подготовки,
Того с полу на полок
Не встянуть и на веревке, –
Разве только через блок.

Don't hold back, make loads more steam:
it'll help get the creases out,
and now lay on with a Russian broom,
well, maybe the Lithuanian sort.

Honour and glory to the quartermaster
who carried through the war
these Soviet brooms with which we're thrashed,
through Königsberg, and more.

Hey, you Slavs, from old Kuban,
from the Don, from the Volga, the Irtysh,
sit high up in the bathhouse form,
and don't feel you have to rush!

Would'st thou like to live deliciously?
What more joy is there in the world
than to steam your aching body
free of foreign sweat and dirt?

All the steam a man could want,
and the planks are warm and wet.
Come on, where are you, Yelnya friend,
send us soldiers up some heat!

Send some heat, and we'll accept it,
like we dealt with the last load.
Here it comes! And thank you, sergeant!
Have a rest. We're fine. We're good.

If you haven't trained like we have,
you won't get up to the ceiling
just by climbing, on your knees:
we'll need to raise you with a pulley.

Тут любой старик любитель,
Сунься только, как ни рьян,
Больше двух минут не житель,
А и житель – не родитель,
Потому не даст семян.

Нет, куда, куда, куда там,
Хоть кому, кому, кому
Браться париться с солдатом, –
Даже черту самому.

Пусть он жиловатый парень,
Да такими вряд ли он,
Как солдат, жарами жарен
И морозами печен.

Пусть он, в общем, тертый малый,
Хоть, понятно, черта нет,
Да поди сюда, пожалуй,
Так узнаешь, где тот свет.

На полке, полке, что тесан
Мастерами на войне,
Ходит веник жарким чесом
По малиновой спине.

Человек поет и стонет,
Просит;
– Гуще нагнетай.-
Стонет, стонет, а не донят:
– Дай! Дай! Дай! Дай!

If some bathhouse aficionado
comes along, we'll wait him out,
even if he's full of bravado,
he'll give in because – *nu ladno* –
he can't manage in this heat.

No, it's hard for anybody
to accept this heat and sweat:
no one bathes just like a soldier,
not even the Devil himself.

Because the Devil hasn't been here,
hasn't sweated through the night
and frozen by day, like any soldier,
no matter how he thinks he's fit.

But if he came here (which isn't likely,
as the Devil doesn't exist),
then he'd find out pretty quickly
just where his little Hellmouth is.

On the bench, once put together
by proper carpenters in the war,
the birch broom beats the willing soldier
on his back as he calls for more.

The man lies there, with purple back,
and says to his torturer,
'That's poor'.
Then groans and begs for a harder attack:
'More! More! More! More!'

Не допариться в охоту,
В меру тела для бойца –
Все равно, что немца с ходу
Не доделать до конца.

Нет, тесни его, чтоб вскоре
Опрокинуть навзничь в море,
А который на земле –
Истолочь живьем в "котле".

И за всю войну впервые –
Немца нет перед тобой.
В честь победы огневые
Грянут следом за Москвой.

Грянет залп многоголосый,
Заглушая шум волны.
И пошли стволы, колеса
На другой конец войны.

С песней тронулись колонны
Не в последний ли поход?
И ладонью запыленной
Сам солдат слезу утрет.

Кто-то свистнет, гикнет кто-то,
Грусть растает, как дымок,
И война – не та работа,
Если праздник недалек.

И война – не та работа,
Ясно даже простаку,
Если по три самолета
В помощь придано штыку.

If he didn't steam himself dry
until he couldn't bear it,
that would be like attacking the Nazis
and not seeing it through to the end.

No, the Nazis all deserve it,
to be forced back to the ocean,
and if there are any who are preserved,
kettle them, trap them, take them down.

This is the first time in this war
when the Nazis haven't been ahead.
Listen to the fireworks roar
in Moscow overhead.

Hear the cannons' many voices,
louder than the ocean.
Wheels and guns have been to places,
travelled the war from end to end.

With a song the troops move off
on what might be their final command.
And a soldier brushes off
a tear with a grimy hand.

Someone whistles, someone yells;
sadness vanishes like smoke,
for the war is something else
when joy replaces work.

And war is quite a different job –
you see that very clearly –
when every bayonet had the help
of three aeroplanes, merely.

И не те как будто люди,
И во всем иная стать,
Если танков и орудий –
Сверх того, что негде стать.

Сила силе доказала:
Сила силе – не ровня.
Есть металл прочней металла,
Есть огонь страшней огня!

Бьют Берлину у заставы
Судный час часы Москвы...

А покамест суд да справа –
Пропотел солдат на славу,
Кость прогрел, разгладил швы,
Новый с ног до головы –
И слезай, кончай забаву...

А внизу – иной уют,
В душевой и ванной
Завершает голый люд
Банный труд желанный.

Тот упарился, а тот
Борется с истомой.
Номер первый спину трет
Номеру второму.

Тот, механик и знаток
У светца хлопочет,
Тот макушку мылит впрок,
Тот мозоли мочит;

And the people aren't the same,
in quite different surroundings,
if there are so many tanks and guns
no space for them can be found.

Strength has shown the limits of strength.
Our strength and theirs are not the same.
There is iron that's stronger than iron,
and flame that's worse than flame!

In the Berlin chancellery
the bells of Moscow strike the hour ...

Before the day of judgement dawns –
our soldier's steamed his body pure,
steamed his skin and warmed his bones,
renewed himself from head to feet,
and comes down to join the fray ...

After the steam, another joy:
in the cold shower or cold tub
the naked soldiers romp and play
and give themselves a rub.

This one's had a steam, and this
other one's worn out too.
Number One lies down and gets his
back rubbed by Number Two.

Here a man, a skilled mechanic,
tries to adjust the tension,
here another man soaps his neck,
and a third man soaks his corns;

Тот платочек носовой,
Свой трофей карманный,
Моет мыльною водой,
Дармовою банной.

Ну, а наш слегка остыл
И – конец лежанке.
В шайке пену нарастил,
Обработал фронт и тыл,
Не забыл про фланги.

Быстро сладил с остальным,
Обдался и вылез.
И невольно вслед за ним
Все поторопились.

Не затем, чтоб он стоял
Выше в смысле чина,
А затем, что жизни дал
На полке мужчина.

Любит русский человек
Праздник силы всякий,
Оттого и хлеще всех
Он в труде и драке.

И в привычке у него
Издавна, извечно
За лихое удальство
Уважать сердечно.

И с почтеньем все глядят,
Как опять без паники
Не спеша надел солдат
Новые подштанники.

yet another takes a hankie,
the prize he's seized in combat,
and washes it and wrings it dry –
a gratis laundromat.

As for the man we first described
his lounging's at an end.
He uses soap with army pride
and rubs himself from side to side
and doesn't forget his front.

Then he's finished, and he's gone,
rinsed and out the door.
Unwittingly the other men
follow him once more.

Not because he's been promoted,
moved up in the ranks,
but because the way he's behaved
has been a cause for thanks.

A Russian loves all kinds of strength,
and likes to see it shown,
and far fiercer than the rest
in battle is this man.

It is a typical Russian trait
formed so long ago
to feel proud of strength and grit
and praise them ever so.

And they all observe this man
as he quite unhurriedly
pulls on a pair of clean white pants
fresh from out the laundry.

Не спеша надел штаны
И почти что новые,
С точки зренья старшины,
Сапоги кирзовые.

В гимнастерку влез солдат,
А на гимнастерке –
Ордена, медали в ряд
Жарким пламенем горят...

– Закупил их, что ли, брат,
Разом в военторге?
Тот стоит во всей красе,
Занят самокруткой.
– Это что! Еще не все, –
Метит шуткой в шутку.

– Любо-дорого. А где ж
Те, мол, остальные?..

– Где последний свой рубеж
Держит немец ныне.

И едва простился он,
Как бойцы в восторге
Вслед вздохнули:
– Ну, силен!
– Все равно, что Теркин.

And unhurriedly he dresses
in his pristine trousers,
and a pair of combat boots
which are new, the QM swears.

Then he put his jacket on,
and on the jacket's chest –
medals shining like the sun
laid together, one on one ...

'What's that, kid, where have you been,
did the stores have a special offer?'
The soldier shines at everyone,
and rolls himself a gasper.
'This is nothing!' he returns,
giving as good as delivered.

'Alright, then. Now, you tell me,
when will we see the others?'

'After the final victory:
the Nazis always deliver.'

And scarcely has he said goodbye,
than all the soldiers start talking.
They sigh and murmur:
'What a guy!'
'A real man, that Tyorkin.'

От автора

“Светит месяц, ночь ясна,
Чарка выпита до дна...”

Теркин, Теркин, в самом деле,
Час настал, войне отбой.
И как будто устарели
Тотчас оба мы с тобой.

И как будто оглушенный
В наступившей тишине,
Смолкнул я, певец смущенный,
Петь привыкший на войне.

В том беды особой нету:
Песня, стало быть, допета.
Песня новая нужна,
Дайте срок, придет она.

Я сказать хотел иное,
Мой читатель, друг и брат,
Как всегда, перед тобою
Я, должно быть, виноват.

Больше б мог, да было к спеху,
Тем, однако, дорожи,
Что, случалось, врал для смеху,
Никогда не лгал для лжи.

И, по совести, порою
Сам вздохнул не раз, не два,
Повторив слова героя,
То есть Теркина слова!

Author's Note

'The moon is bright, the night is clear,
the goblet's drained to the dregs ...'

Tyorkin, Tyorkin, really and truly
the hour has come; the war is over.
And I think both you and me
are old: the writer and the soldier.

And I am a little deafened
by the silence that has fallen,
and I too have fallen silent,
I, who have been used to sing.

This is not a difficult issue:
maybe my song has reached its end.
We need another, new song now:
I'll wait and see what fate has planned.

But there was one more thing to say,
my reader, friend and brother:
as per usual, and in my way,
I've not been that good as an author.

I could have done more, but there was no time,
but at least take this on board:
I might have spun you guys a yarn,
but I never really lied.

And, in truth, there were some times
when I sighed to myself a lot,
and could have spoken Tyorkin's lines,
as it's rarely been better put.

“Я не то еще сказал бы, –
Про себя поберегу.
Я не так еще сыграл бы, –
Жаль, что лучше не могу”.

И хотя иные вещи
В годы мира у певца
Выйдут, может быть, похлеще
Этой книги про бойца, –

Мне она всех прочих боле
Дорога, родна до слез,
Как тот сын, что рос не в холе,
А в годину бед и гроз...

С первых дней години горькой,
В тяжкий час земли родной,
Не шутя, Василий Теркин,
Подружились мы с тобой.

Я забыть того не вправе,
Чем твоей обязан славе,
Чем и где помог ты мне,
Повстречавшись на войне.

От Москвы, от Сталинграда
Неизменно ты со мной –
Боль моя, моя отрада,
Отдых мой и подвиг мой!

'I might want to say much more,
but I'll keep it to myself.
I might want to play much more,
but that's just a fact of life.'

And perhaps in years of peace
the singer will have different tunes
which may be more powerful, have more force
than this book about a fighting man:

but he is dearer far to me
than others, I hold him tighter,
like a son born in years of scarcity,
a sad and valiant fighter ...

From the first days of this bitter war
which troubled the motherland,
you and I, Vasili Tyorkin,
have felt our friendship strengthen.

I would never want to forget you,
there's so much I owe you for,
as you gave me your blessing, too,
when we met in the war.

From Moscow and from Stalingrad
you were always with me –
my strength and joy in good times and bad,
my respite and my victory!

Эти строки и страницы –
Дней и верст особый счет,
Как от западной границы
До своей родной столицы,
И от той родной столицы
Вспять до западной границы,
А от западной границы
Вплоть до вражеской столицы
Мы свой делали поход.

Смыли весны горький пепел
Очагов, что грели нас.
С кем я не был, с кем я не пил
В первый раз, в последний раз.

С кем я только не был дружен
С первой встречи близ огня.
Скольким душам был я нужен,
Без которых нет меня.

Скольких их на свете нету,
Что прочли тебя, поэт,
Словно бедной книге этой
Много, много, много лет.

И сказать, помыслив здраво:
Что ей будущая слава!

Что ей критик, умник тот,
Что читает без улыбки,
Ищет, нет ли где ошибки, –
Горе, если не найдет.

Words and pages tumbled out:
days and miles were covered,
from the furthest Western front
to Moscow where the Germans went,
from Moscow where the Germans went
back to the furthest Western front
and from the furthest Western front
to Berlin where the Russians went
you came with me, my brother.

Spring has drowned the bitter ashes
of the campfires that once warmed us.
So many I saw, so many I drank with ...
they pass me, vast and formless.

So many men I met, befriended,
round the fire some night.
So many souls whose lives, now ended,
were the lives that gave me light.

How many of them have gone on,
who read this work of yours:
yes, this little book might have been done
many, many years before.

And tell me now, and tell me sure:
what should I care for the future?

What do I care for the clever critic
who reads this book without a smile,
who tries to find some small mistake,
and grimaces if he fails.

Не о том с надеждой сладкой
Я мечтал, когда украдкой
На войне, под кровлей шаткой,
По дорогам, где пришлось,
Без отлучки от колес,
В дождь, укрывшись плащ-палаткой,
Иль зубами сняв перчатку
На ветру, в лютой мороз,
Заносил в свою тетрадку
Строки, жившие вразброс.

Я мечтал о сущем чуде:
Чтоб от выдумки моей
На войне живущим людям
Было, может быть, теплей,

Чтобы радостью нежданной
У бойца согрелась грудь,
Как от той гармошки драной,
Что случится где-нибудь.

Толку нет, что, может статься,
У гармошки за душой
Весь запас, что на два танца, –
Разворот зато большой.

И теперь, как смолкли пушки,
Предположим наугад,
Пусть нас где-нибудь в пивнушке
Вспомнит после третьей кружки
С рукавом пустым солдат;

I had no sweet hope of glory
when, hidden dank away
in the war, under some leanaway,
or on the road, where it befell
that some wheel had gone AWOL,
or in the rain with my mac, and me underneath,
or holding my gloves in my teeth,
against the rain and bitter frost,
I wrote and filled my little book
with living lines, whose sense I took.

Back then I dreamed of writing wonders,
hoped that my little thoughts
might bring into the lives of soldiers
a tiny bit of warmth,

so that an unexpected song
might fill a soldier's breast,
like the sound of the accordion,
the sound he loves the best.

There's no skill that can infuse
an accordion with a soul
and give it breath for a pair of dances
to make it feel so full.

And now that all the cannons cease,
let's guess about the future,
and think that in a pub, we might
be remembered after the third pint
by a one-armed former soldier;

Пусть в какой-нибудь каптерке
У кухонного крыльца
Скажут в шутку: "Эй ты, Теркин!"
Про какого-то бойца;

Пусть о Теркине почтенный
Скажет важно генерал, –
Он-то скажет непременно, –
Что медаль ему вручал;

Пусть читатель вероятный
Скажет с книжкою в руке:
– Вот стихи, а все понятно,
Все на русском языке...

Я доволен был бы, право,
И – не гордый человек –
Ни на чью иную славу
Не сменю того вовек.

Повесть памятной годины,
Эту книгу про бойца,
Я и начал с середины
И закончил без конца.

С мыслью, может, дерзновенной
Посвятить любимый труд
Павшим памяти священной,
Всем друзьям поры военной,
Всем сердцам, чей дорог суд.

or in a pantry or a kitchen
standing by the door,
someone might say, 'Hey, you're a Tyorkin!'
as a joke to some young soldier;

or let the general be pompous
as he tells you of the man:
of course he'll tell you (but of course!)
how Tyorkin was in his command;

and let a reader, a real one, certain,
say as this book is tried:
'This is poetry, but in our Russian,
that cats and dogs can read ...'

I'd be happy with that, truly,
I'm not a prideful man,
and I wouldn't trade this glory
for any other thing.

A story of memorable years,
this book about a soldier,
which I began *in medias res*
and end before it's over.

My thought, although it may seem bold
is to dedicate my favourite verse
to the sacred memory of those who fell,
and the friends I met in the war as well,
and the hearts whose opinions I cherish.